La vida secreta de los sueños

Melinda Powell

La vida secreta de los sueños

Qué nos cuentan y cómo pueden cambiar nuestro mundo

Título original: *The Hidden Lives of Dreams: What They Can Tell Us and how They Can Change Our World*

Publicado por primera vez en inglés en Reino Unido por Lagom,
un sello de Bonnier Books UK Limited, London.

c/ Mar Tirrena, 5, 08912 Badalona
www.koanlibros.com • info@koanlibros.com
ISBN: 978-84-18223-36-5 • Depósito legal: B-12707-2021
Ilustración de la cubierta: Male Ehul / @male.ehul
Maquetación: Cuqui Puig

Impresión y encuadernación: Romanyà Valls
Impreso en España / *Printed in Spain*

1ª edición, octubre de 2021

A mi amado Andrew,
a mi adorada familia,
y por un mundo necesitado de sueños

El mundo es un sueño, dices tú, y es encantador,
a veces. Atardecer. Nubes. Cielo.

No. La imagen es un sueño. La belleza es real.
¿Puedes ver la diferencia?[1]

Richard Bach

Índice

Agradecimientos

A comienzos de mis cuarenta años tuve un sueño. En él, un hombre me conduce a una habitación donde están reunidos mis padres, mis hermanos y personas cercanas. «Sé que la vida de Melinda quizá no resultó como esperaban. Pero su vida tenía que ser así para los sueños.» El hombre que allí aparecía ha escrito también la presentación de este libro. Es lógico que así sea porque el centro de psicoterapia que él creó en los años ochenta nos ha proporcionado, tanto a mí como a muchos otros, un «hogar» para los sueños y el trabajo con ellos. Por eso le doy las gracias profundamente a Nigel Hamilton.

A los veinte años decidí dejar que los sueños guiaran mi vida despierta. Les agradezco el haberme conducido hasta este instante en el que contemplo desde la ventana de mi estudio un cúmulo de rosas amarillas que me recuerdan a mi querida madre. Hace ya mucho tiempo que ha dejado esta vida, pero su presencia en mis sueños constituye una fuente continua de apoyo. Quiero también recordar y dar las gracias a mi padre por inculcarme desde niña tanto fortaleza espiritual como un profundo amor por la maravilla de la naturaleza: las formas de las costas, los cañones y desfiladeros, desiertos y montañas de mi tierra natal.

Toda esa belleza natural aparece retratada en las fotografías de Chris Nassef. ¡Gracias, Chris!

Mi agradecimiento también a las numerosas personas que me han acompañado en los senderos de la vida y de los sueños. Tú sabrás quién eres cuando leas estas palabras, sabrás que son para ti. En particular, doy las gracias a Sajada Taylor, mi guía de sueños; sus sabios consejos me han guiado a través de muchos de ellos. Quisiera agradecer además a Dave Billington, mi colega en el Dream Research Institute [Instituto de Investigación en Sueños] de Londres, su ayuda práctica para hacer los sueños realidad.

A las diversas personas mencionadas en estas páginas: sus pensamientos y experiencias forman parte de una conversación en curso sobre la vida y los sueños. Les doy las gracias a cada uno de ustedes.

A los lectores de este libro, ya que compartiré con ellos mis pensamientos y sueños, les manifiesto mi gratitud por su interés y receptividad. Ojalá que, igual que a mí, los sueños los conduzcan al tesoro más íntimo de sus corazones.

A mi editor, Oliver Holden-Rea de Bonnier Books, que encargó esta obra, y a su equipo, mi más cálido agradecimiento.

Ahora mis pensamientos se dirigen con amorosa gratitud a mi marido, Andrew. Su mano firme, corazón cálido y mente lúcida se mueven cariñosamente por mi vida, mis sueños y las revisiones de este libro.

Con humildad ofrezco estas páginas al espíritu que transita por los sueños y susurra entre las copas de los árboles.

En mi vida, los sueños han brillado como presencias vivas de luz contra el fondo de la noche oscura y sagrada. Al igual que las deslumbrantes estrellas, me han guiado y llenado con un profundo sentido de gratitud y conciencia de gracia. La estrella brilla para todos nosotros. La tierra bajo nuestro pies, el viento contra nuestras mejillas, la caricia del ser amado, todo eso se entremezcla con a luz de nuestros sueños, enriqueciendo la vida. Por todo eso, doy mis sentidas gracias.

Presentación

Este libro único de Melinda Powell viene a llenar un hueco en la literatura sobre sueños. Elogia e ilustra la importancia vital de la mente imaginal como puente entre nuestra naturaleza humana y espiritual. El libro de Melinda muestra cómo los sueños nos revelan la perspectiva limitada que tenemos sobre nuestros problemas, sobre nosotros mismos y sobre la vida en general, debido a nuestra capacidad excesivamente condicionada para contemplar el mundo y nuestro lugar en él. Tal como Melinda demuestra, los sueños actúan como un espejo que descubre nuestras heridas, nuestras defensas y nuestras ilusiones. Sin embargo, si podemos despojarnos de viejas impresiones y sanarnos, nuestra mente imaginal se convierte en un espejo en el que los sueños reflejan el tesoro de nuestra naturaleza espiritual oculta.

A través de una investigación muy accesible aunque cuidadosa, Melinda sugiere que los sueños pueden convertirse en una de las principales fronteras de una nueva psicología de la mente, desplazando el foco mental de un modelo puramente cognitivo o neurocognitivo a la aceptación de una perspectiva multidimensional del potencial creativo de la mente. Nos enseña que, al revisar nuestros sueños e interactuar conscientemente con ellos, somos capaces de explorar las maravillas del universo interior. Según las tradiciones místicas, estas maravillas se reflejan en la belleza del mundo natural que nos rodea. En cambio, tal como argumenta persuasivamente Melinda, los desórdenes y las intrincadas complejidades que creamos en la mente, y que se ven reflejadas en nuestros sueños y pesadillas, tienen notables semejanzas con la devastación que vemos hoy en los contaminados páramos en que la humanidad ha convertido el mundo exterior.

Mi primer recuerdo de Melinda es ofreciéndose a trabajar con uno de sus sueños —un sueño de suma importancia, un «gran sueño»— durante su programa de prácticas en psicoterapia transpersonal. Yo no tenía idea de lo que emergería de esta exploración del sueño lúcido; la experiencia fue poderosa e inició un cambio radical en la vida de Melinda. Como resultado, comenzó a explorar más profundamente su extraordinaria capacidad para el sueño lúcido.

Los notables sueños lúcidos que siguieron describen paisajes cada vez más bellos que representan los sutiles reinos de la conciencia. Luz y «contraluz» aparecen regularmente en el imaginario. En el curso de cientos de sueños lúcidos, Melinda aprendió a rendirse cada vez más profundamente a la experiencia de la «contraluz», un fenómeno del que san Juan de la Cruz y otros místicos han hablado como preludio a un profundo despertar espiritual.

Alenté a Melinda a que asistiera y hablara de sus sueños en el congreso anual de la Asociación Internacional para el Estudio de los Sueños (IASD en inglés). Por entonces, Melinda había comenzado a referirse a su actitud consciente en estas experiencias de «contraluz» como «entrega lúcida», término que acuñó profesionalmente como camino al despertar espiritual.

Puesto que ambos compartíamos las mismas opiniones acerca de la significación de la exploración transpersonal del sueño, analizamos la necesidad de crear un instituto que promoviera la investigación de los sueños. Esto culminó en la organización del Instituto de Investigación del Sueño (DRI) como parte del trabajo creciente del Centro de Atención y Educación en Psicoterapia (CCPE) en Londres, con Melinda como cofundadora y directora.[1]

En paralelo a estos proyectos, Melinda también asumió la dirección y recuperación de pasantías para los estudiantes de psicoterapia del CCPE llamado HELP, una organización benéfica originalmente impulsada por Richard Branson como centro de atención telefónica hace más de 40 años.[2] Con los años, el servicio evolucionó en un centro caritativo de atención a gente necesitada de apoyo psicoterapéutico. Gracias a la educación y experiencia de Melinda, a su dedicación y a su integridad, la organización floreció hasta convertirse en un servicio en gran medida autofinanciado que ofrece tratamientos de psicoterapia breves o largos a cientos de personas cada año.

Este libro combina mucho de lo que ha surgido en los sueños de Melinda, junto con su experiencia profesional en psicoterapia por más de dos décadas. El potencial de desarrollo humano que existe en el trabajo con nuestros sueños queda claramente ilustrado.

En suma, este libro absolutamente necesario muestra que el inefable espíritu humano, presente en todos nosotros más allá de la mente consciente, puede ayudar a armonizar y afianzar la relación entre nuestras naturalezas humana y espiritual así como nuestra humanidad compartida y el mundo natural del que formamos parte.

Doctor Nigel Hamilton

Director del Centro de Atención y Educación en Psicoterapia, Londres.

Director cofundador del Instituto de Investigación en Sueños, Londres.

Representante de la Orden Sufí, Reino Unido.

Autor de *Despertar con los sueños: un viaje a través del paisaje interior*

Introducción

Que la Naturaleza sea tu guía.[1]

Epigrama 42, Michael Maier
(Físico y alquimista, 1568-1622)

¿Por qué escribir o leer un libro sobre los sueños en una época en que las crisis ambientales amenazan la vida en la Tierra; una época en que los niños preguntan para qué van a la escuela a aprender datos cuando los datos más importantes sobre el planeta no se enseñan?[2]

También podemos preguntarnos por qué uno de los aspectos esenciales de nuestra existencia, la capacidad de soñar, no aparece entre las asignaturas escolares o en nuestras conversaciones cotidianas. Los sueños nos hablan de nosotros mismos, de nuestras relaciones con los demás y con el mundo natural que habitamos. Los sueños juegan un papel vital en nuestro desarrollo fisiológico y personal. Al igual que la miríada de hojas que conectan al árbol con la sutil atmósfera y que, mediante la fotosíntesis, dan vida al mundo con su hálito, los sueños conectan nuestra experiencia interna, subjetiva, con el mundo exterior, insuflando nueva vida en nosotros. Al ignorar nuestros sueños, desestimamos la naturaleza de nuestra conciencia, enraizada, por así decir, en el planeta Tierra.[3]

La Tierra ve a través de nuestros ojos, nuestras voces hablan por ella, y nuestras manos extienden su alcance. Cuando dormimos, la Tierra sueña. Y cada noche, si prestamos atención a nuestros sueños, despertamos a nuevas potencialidades tanto en nosotros mismos como en el misterioso fundamento de la vida en sí. Nuestra apreciación del mundo del sueño honra la conciencia que tenemos de la vida.

En la vida moderna tenemos poco tiempo para la reflexión, para dormir y menos aún para soñar. Nos hemos acostumbrado a vivir sin considerar los ritmos naturales del día y de la noche, los cambios estacionales, o el equilibrio entre el dar y el recibir, el hacer y el ser, la mente y el corazón, el cuerpo y el alma. El día comienza en disonancia con la naturaleza cuando despertamos artificialmente con el sonido del reloj despertador: ¡somos la única especie en hacerlo![4]

El calentamiento acelerado del planeta refleja nuestras vidas sobrecalentadas. La polución del mundo natural va en paralelo con el profundo desequilibrio de la psique humana. La profanación de la naturaleza refleja la desconsiderada visión global de la humanidad tanto en relación al mundo de la vigilia como del sueño. El descuido cultural del mundo interior se convierte en una pesadilla hecha realidad y encuentra su expresión en la aniquilación de los paisajes naturales.

Consideremos en qué medida la deforestación global de la Tierra refleja la unilateralidad colectiva de nuestro acercamiento a la vida como especie. Antes de la era industrial, los bosques cubrían la mitad del planeta. Ahora existen menos de la mitad, y solo una quinta parte de ellos permanece intacta.[5] A medida que la población humana aumenta y el ritmo de nuestras vidas y nuestras tecnologías se acelera, así lo hace el ritmo al que agotamos los recursos del planeta, especialmente árboles, poniéndonos a nosotros mismos y a la vida en el planeta en peligro. Cada árbol absorbe hasta cerca de 22 kg de dióxido de carbono por año.[6] Sin los árboles perdemos la manera más eficaz de contrarrestar los niveles crecientes de dióxido de carbono que contribuyen al calentamiento global. Sin embargo, seguimos talando árboles a un ritmo cada vez más veloz. Cerca de ochocientos millones de personas en el «mundo desarrollado» luchamos contra una mala salud onírica.[7] ¿Podrían estas alarmantes estadísticas relacionarse con una «tala» simbólica de los sueños, con una destrucción del medioambiente necesario para alimentar su vida, en otras palabras, con el deterioro de un buen descanso nocturno?

En un mundo semejante, ¿debería sorprendernos que hacia 2016 los médicos en Reino Unido hiciesen más de 64 millones de recetas por año para antidepresivos, un incremento del 108 % con respecto a los diez años previos?[8] A escala mundial, una de cada siete personas tiene diagnosticados desórdenes de salud mental o por abuso de sustancias: un estimativo de un billón y medio de nosotros en 2019.[9] En los países desarrollados, los gastos en salud mental y las pérdidas en productividad representan al menos el 4% del producto bruto nacional,[10] cerca de cien billones de libras en Reino Unido.[11]

En 1983 los científicos postularon por primera vez la hipótesis de que la vida en el planeta mantiene la atmósfera de la Tierra en un estado dinámico constante, principalmente por la regulación de los niveles de dióxido de carbono.[12] Para 2001, unos mil científicos declararon con valentía:

> El sistema terrestre se comporta como un único sistema autorregulado, constituido por componentes físicos, químicos, biológicos y humanos. La interacción y retroalimentación entre las distintas partes es compleja y manifiesta una variación temporal y espacial en sus múltiples escalas. La comprensión de la dinámica natural del sistema terres-

> tre... aporta una base para la evaluación de los efectos y consecuencias del cambio producido por el ser humano.[13]

Los sueños nos brindan una de las maneras más efectivas en la naturaleza para mantener nuestro equilibrio interno.[14] Apenas hemos comenzado a apreciar la contribución del dormir y de los sueños a nuestro bienestar personal y, en una escala mayor, también al de la Tierra. En 1954, un año después de la primera verificación científica que asoció los movimientos oculares rápidos del dormir con los sueños,[15] y mucho antes de que los estudios neurológicos por imagen revelaran importantes vínculos entre el soñar y un desarrollo humano saludable, Carl Jung, fundador de la psicoterapia, postuló que la psiquis actúa como «un sistema autorregulado que mantiene su equilibrio de la misma forma en que lo hace el cuerpo».[16]

En este libro, te pido que imagines cómo cambiarían nuestras vidas —la forma en que nos tratamos a nosotros mismos, a los demás y a la Tierra— si recurriésemos a nuestros sueños para vivir mejor. Una plegaria de los pueblos originarios estadounidenses implora «Que pueda caminar con equilibrio».[17] A esto podríamos agregar «Que pueda soñar con equilibrio». Prestando atención a los sueños de manera reflexiva y admirativa aprendemos a restaurar el equilibrio en nuestras vidas mientras avanzamos hacia la armonía colectiva que tanto necesita la humanidad.

La gratitud hacia el regalo que son los sueños engendra gratitud hacia la vida. La investigación ha demostrado que si una persona deprimida pone por escrito tres cosas por las que sentirse agradecida, aunque solo sea una vez por semana, muy pronto se sentirá notablemente mejor por ello.[18] ¡Imaginemos un mundo en el que todos incluyesen los sueños en sus listas de agradecimientos! Sin embargo, la gente suele descartarlos o sentir temor de ellos. Pierden así un auténtico regalo.

Podemos ilustrar la tendencia moderna a desentenderse tanto de los sueños como del mundo natural con una leyenda africana que recoge Joseph Campbell acerca de un niño que regresó a su aldea desde el bosque con un pajarillo. El pájaro cantaba una hermosa canción y el niño escuchaba atento. Un día, el niño dejó al pájaro al cuidado de su padre. Pero el padre se sintió molesto por tener que alimentar algo que consideraba inútil y lo mató. Poco después el padre también murió. Como nos dice Campbell, este relato nos advierte que cuando matamos la canción, nos matamos a nosotros mismos.[19] Recuerdo un sueño en el que se me aparecía Bob Dylan diciéndome: «las canciones son sueños cantados». Al silenciar nuestros sueños, desestimándolos o simplemente tratándolos como meros fenómenos bioquímicos, nos arriesgamos a «matar» las canciones de nuestra vida interior.

En un tono similar, la analista junguiana Anne Baring reproduce la historia de un rey que diariamente recibe regalos de quienes buscan obtener sus favores.[20] Día tras día, un mendigo se acerca al trono del rey y le deja una fruta distinta sin pedirle nada a cambio. El rey recibe los humildes regalos del mendigo de acuerdo con las reglas del decoro, pero luego ordena a su sirviente que se deshaga de la ofensiva fruta. Después de muchos años, cuando el mendigo se ha convertido en un anciano, un mono sentado al hombro de un heraldo de otro reino salta a tierra, roba una manzana, le da un mordisco y lanza la fruta al piso frente al rey. Todos se quedan sin aliento al ver brillar un rubí, oculto en el interior de la manzana. El sirviente del rey corre hacia la bodega donde por años ha arrojado los indeseables presentes. Allí descubre un cúmulo de piedras preciosas:

rubíes, esmeraldas y diamantes que han quedado tras la descomposición de la fruta.

La historia destaca que la gratitud, considerada una de las más altas virtudes, también requiere humildad. De la mano de la humildad, la gratitud abre el corazón a las ricas cualidades del mundo interior, a la disposición que desarrolla nuestra capacidad de recibir agradecidamente y, a su vez, de dar. Este libro nos pide acercarnos a nuestros sueños con el mismo espíritu. Como lo sugiere la historia del tesoro oculto, los sueños, tan a menudo desestimados o temidos, pueden ofrecernos en potencia percepciones de gran valor.

Como investigadora del sueño, terapeuta y guía de sueños, estudio los sueños, escribo acerca de ellos y ayudo a la gente a descubrir el regalo que ocultan. Pero si alguien me pregunta lo que hago y le respondo que he participado en la fundación de un instituto de investigación del sueño, suele ocurrir que la persona se muestra ligeramente confundida, sacude la cabeza y enseguida pasa a otro tema. Sin embargo, de tanto en tanto, alguien a quien apenas conozco me lleva aparte, baja el tono de voz y dice: «¿Sabe una cosa? Anoche he tenido un sueño», o bien alguien me agarra del brazo y en un ansioso susurro me habla de la pesadilla que perturba su descanso.

Recuerdo a un veinteañero que me habló al pasar de un oso que todas las noches aparecía en sus sueños para atacarlo. Describía al oso, un grizzly, irguiéndose sobre dos patas delante de él. Le hice notar que los aborígenes estadounidenses consideraban al oso como un poderoso espíritu conductor y que lo buscaban en sus visiones. Dominando sus miedos, enfrentaban al oso, le hablaban y recibían su mensaje. Si le parecía difícil hacer esto por su cuenta, añadí, cuando estuviera preparado podía encontrar a su oso con ayuda de un guía de sueño. Se quedó un rato en silencio, luego dijo que no había pensado en el sueño de esa manera, pero que hacerlo le daba confianza.

Cuando compartimos un sueño, este cobra vida para aquellos que lo escuchan.[21] Si ese hubiera sido tu sueño, ¿estarías preparado para encontrarte con el oso? ¿Qué podría haberte dicho o dado? Si puedes imaginarte a ese oso sin miedo, descubrirás que hacerlo te pone en contacto con su instintiva y poderosa energía; una energía a la que puedes echar mano para recargar tu vida. El mensaje del oso te dará lo que necesitas para moverte con confianza hacia lo que la vida tiene para darte.

En estos días, el oso muy bien podría estar diciéndonos: «¡Despierta! Tú también eres un hijo de la naturaleza. Tu hogar, al igual que el mío, se encuentra amenazado». Me represento al oso haciéndose eco de las palabras de Jefe Seattle en una carta escrita al gobierno de Estados Unidos en la década de 1850:

> Esto es lo que sabemos: la tierra no pertenece al hombre, el hombre pertenece a la tierra. Todas las cosas están conectadas como la sangre que nos une a todos. El hombre no teje la trama de la vida, es tan solo una hebra más en ella. Lo que le haga a la trama, se lo hará a sí mismo.[22]

Si por casualidad nos encontrásemos en una reunión, ¿qué sueño elegirías para compartir conmigo? Recuerdo que hace años, en una cena en la que hablé sobre mi trabajo con los sueños, otro invitado declaró: «El mundo necesita sueños. Es bueno que te dediques a eso», después de lo cual la conversación en la mesa se aquietó reflexivamente. Sus inesperadas palabras me alentaron muchísimo, y del mismo modo me gustaría alentarte a redescubrir tus sueños y a valorarlos, tanto por ti como por un mundo que los necesita.

1

El mar de los sueños: una exploración de las profundidades ocultas

El mar no recompensa a los demasiado ansiosos,
demasiado ávidos, o demasiado impacientes. Querer desenterrar tesoros
muestra no solo impaciencia y avaricia, sino falta de fe.
Paciencia, paciencia, paciencia es lo que el mar nos enseña.
Paciencia y fe. Deberíamos yacer vacíos, abiertos,
sin preferencias, como una playa esperando un regalo del mar.[1]

Anne Morrow Lindbergh

Te invito a comenzar esta exploración de tus sueños visualizándote en una playa. Caminas descalzo a lo largo de la orilla, estudiando las aguas que retroceden en busca de caracolas. Muchos restos tentadores llaman tu atención cuando el agua los arrastra nuevamente hacia el mar. Por momentos un fragmento, su color, su textura o su forma, te animarán a que lo recojas y examines más de cerca. Es muy probable que encuentres el casco lustroso de un mejillón, el abanico roto de una valva o el espiral interno de una caracola, con su cáscara externa desgastada o rota por el movimiento de las olas. Estos fragmentos conservan cierta belleza y podrían evocar recuerdos del pasado o una sensación de muda añoranza.

Con suerte, las olas arrojarán a tus pies una concha completa en su precisión matemática, haciendo que te maravilles ante la belleza que encierra el hueco donde alguna vez vivió una criatura marina. A veces, mientras buscas, una ola que no has visto puede romper inesperadamente, bañándote en agua fría, salada. Aun así, y aparentemente por ninguna razón en particular, buscar caracolas te da placer porque te pone en contacto con una parte íntima del inmenso mar desconocido que se extiende ante ti.

La concha en tu mano guarda un significado particular. Los conocimientos que aporta la ciencia aumentarían tu apreciación de cada concha, de lo intrincado de sus formas, de la resistencia de sus exoesqueletos, de las criaturas que la habitaban, de su función en el mar. Sin embargo, no necesitas ser un coleccionista para saber que rastrillar la playa en busca de caracolas te hace bien, enfoca tu mente y te pone en un estado más contemplativo.

Una valoración científica de cómo la acción de las olas genera iones negativos que benefician nuestro estado de ánimo, activan nuestros sistemas inmunológicos, estimulan nuestro apetito y crean ondas cerebrales que nos aportan un incremento de la conciencia hará que aumente tu comprensión de por qué te gustaría caminar por la orilla del mar y buscar caracolas. Pero a menos que vayas al mar, te quites los zapatos, te mojes los pies y respires el aire depurado por las olas, no sabrás verdaderamente lo que te estabas perdiendo. Lo mismo se aplica a nuestros sueños: la ciencia nos puede hablar de nuestros procesos oníricos y del propósito de soñar, pero solo tú puedes relacionar la realidad subjetiva de tus sueños, qué sientes en ellos y qué significan para ti.

Las investigaciones han demostrado que a lo largo del ciclo del dormir, los sueños se producen con la regularidad de las olas. Aunque parezca increíble, pese a que pasamos casi un tercio de nuestra vida dormidos, y un total de seis años soñando, gran parte de la finalidad y los beneficios de los sueños sigue siendo territorio inexplorado. El primer estudio de los movimientos oculares intermitentes que indican la presencia del sueño, conocidos como movimiento ocular rápido (*Rapid Eye Movement*: REM) tuvo lugar en 1953.[2] Posteriormente, la medición de las fluctuaciones en la actividad cerebral usando el electroencefalograma (EEG) durante el dormir en REM aportó más pruebas sobre la ocurrencia del sueño. Pero como el EEG limita la exploración del cerebro nocturno a mediciones eléctricas cercanas a su superficie, el examen científico de sustratos neurológicos más profundos del soñar resultó casi inaccesible hasta mediados de la década del 90.

La evolución de la tecnología informática ha permitido a los investigadores penetrar aún más profundamente en la neurofisiología del cerebro. La resonancia magnética por imágenes (RMI) puede mapear sus profundidades ocultas tanto en estados de sueño como cuando estamos despiertos en resolución tridimensional cada vez más alta. Las RMI funcionales (RMIf) no solo revelan dónde ocurre la actividad cerebral, sino también los procesos cerebrales implicados *en tiempo real*, registrados mientras el sujeto en estudio sueña. Algo extraordinario es que los algoritmos informáticos utilizados junto con escaneos RMIf de la actividad cerebral durante el dormir en REM pueden ahora usarse para mapear la imaginería del sueño:[3] si sueñas con una caracola, el ordenador potencialmente la recrea.

En las últimas décadas se ha profundizado el conocimiento científico acerca de los sueños, sobre todo de los beneficios fisiológicos y psicológicos que pueden ofrecer. Descubrimientos clave de estudios empíricos respecto a la finalidad de los sueños, en particular a partir del siglo XXI, han demostrado que el soñar, tanto en las fases REM como no REM, ayuda a promover y mantener la salud neurológica a lo largo de la vida de los humanos y otros mamíferos.[4] Significativamente, como ha destacado el neurocientífico Matthew Walker, en la especie humana el tiempo de sueño en estado REM cada noche es tres veces mayor que en los primates, lo que, según se cree, le ha dado a nuestra especie una ventaja evolutiva.[5]

Los sueños, al parecer, generan situaciones hipotéticas en las que podemos ensayar para la vida despiertos, que posibilitan así el aprendizaje,[6] la perspicacia,[7] la resolución de problemas y la toma de decisiones.[8] Se considera que entrenan las redes neuronales que transcriben la experiencia en recuerdos,[9] equilibran nuestra vida emocional[10] y nos ayudan a reconocer y sintonizar con las emociones de los demás, en particular a través del reconocimiento de las expresiones faciales.[11] Los sueños pueden inspirar la creatividad[12] y, lo que es más importante, sentar las bases de la autoconciencia y la reflexión:[13] conceptualización, razonamiento, intuición, percepción y volición. De manera crucial, y para beneficio de la especie humana, los sueños pueden aumentar en potencia nuestra capacidad de dominar las reacciones más instintivas de temor y enojo y expresar emociones profundas que resultan esenciales para relacionarse e intimar, incluyendo la empatía.[14] Todas estas posibilidades son las que exploraremos a lo largo de este libro.

Gracias al enfoque interdisciplinario en el acercamiento al estudio de los sueños desde la neurología y la psicología, y a las investigaciones sobre el sueño y la conciencia, hemos avanzado mucho en nuestro aprendizaje, aunque todavía sigue habiendo profundidades por explorar, particularmente en el área del sueño lúcido, es decir, el sueño en el que el soñador es consciente de estar soñando.

Las investigaciones llevadas a cabo a fines de los años 70 y comienzos de los 80 demostraron el fenómeno del sueño lúcido.[15] En estos experimentos, los soñadores lúcidos produjeron exitosamente en la fase REM movimientos oculares previamente acordados para indicar su estado lúcido, y enviaron señales desde una dimensión hasta entonces oculta de la conciencia. A pesar de ello, el mundo en general se mantuvo escéptico en cuanto a la existencia del sueño lúcido hasta una fecha tan tardía como 2009, cuando las neuroimágenes comenzaron a mapear la actividad cerebral del estado lúcido.[16] Sin embargo, el desarrollo de una conciencia reflexiva en los sueños ya tenía una larga historia dentro de las tradiciones esotéricas. El budismo tibetano, por ejemplo, llevó adelante una práctica altamente desarrollada de «yoga de los sueños», refinada a lo largo de siglos,[17] mientras que el judaísmo, el cristianismo y el islam también exploraron los aspectos reveladores del soñar reflexivo para propósitos espirituales.[18]

Mientras que los mapas neurológicos han revelado ciertas características del terreno de los sueños, las cualidades y la textura emocional del paisaje onírico existen en el infinito de la imaginación, así como en la experiencia subjetiva que el soñador tiene de su «paisaje interior de sueños».[19] Aun cuando un ordenador pueda algún día recrear perfectamente tu caracola soñada, solo tú puedes decidir qué significa la caracola para ti: si te recuerda a la primera vez que viste el mar, al sonido del océano, a un oleaje embravecido agitado por la tormenta, o a una sedante caleta azul turquesa, y en qué medida esa caracola podría conectarte con cualidades o sentimientos que acaso hayas olvidado o aún no hayas descubierto en ti mismo, en un ser amado o en el mundo de la naturaleza. Solo tú puedes tener un indicio del valor personal de la caracola soñada.

Los sueños, además, pueden considerarse como «la forma más pura de la imaginación».[20] En ese sentido, los modos de conocimiento alternativos —analíticos y experienciales, biológicos y autobiográficos, racionales y poéticos, cerebro izquierdo y cerebro derecho juntos— nos ofrecen el más completo «diagnóstico por imágenes» del sueño. En este libro, las perspectivas complementarias se entrelazan para ayudar a que te relaciones con tu vida onírica a fin de enriquecer tu vigilia.

¿Por qué he escrito este libro sobre sueños? Mi respuesta, de corazón, es sencilla: a causa de un sueño. Lo tuve cuando promediaba mis veinte años, en un momento en que debía decidir si aceptaba la oportunidad de mudarme a Europa y dejar el sur de California, cerca del océano Pacífico, donde crecí. Había completado mis estudios de posgrado y di clases un par de años. Tenía muchas ganas de ir, de hacer algo práctico y útil en el «mundo real» que fuera beneficioso para otros.

Alrededor de esa época cayó el Muro de Berlín, que separaba Alemania Oriental y Occidental, y que condujo a la apertura a Occidente de los países del bloque soviético. El Cuerpo de Paz de Estados Unidos estaba reclutando voluntarios con títulos de posgrado para la organización de profesorados en lenguas extranjeras en Europa oriental. Me presenté y se me ofreció la posibilidad de ir a Polonia. Enfrentada de golpe a la alternativa de quedarme en Estados Unidos o irme al extranjero, me sentía algo abatida ante la idea de abandonar a mi familia. Emprendí una larga caminata al pie de las montañas, donde me detuve para recibir inspiración del Pacífico azul, resplandeciente en la distancia, y a rezar a fin de recibir en sueños una orientación, algo que hacía por primera vez. (Desde niña, sabía por historias bíblicas que la gente puede obtener orientaciones de un sueño, pero jamás se me había ocurrido que tales peticiones pudieran aplicarse a gente común como yo.)

Aquella noche, en mi sueño, me encontré caminando por las estribaciones costeras de California, donde deambulaba por una atestada feria de atracciones, sintiéndome sola. Ansiaba la compañía de un amigo. Las multitudes se atropellaban a mi alrededor, empujándome hacia fuera en dirección a las montañas, donde un hombre se me acercó diciendo: «He oído que estás buscando a un amigo». Su amabilidad me tranquilizó, y sentí que podía confiar en este extraño de cabello rubio ondulado hasta los hombros y camisa de poeta azul marino. Sus finos rasgos irradiaban belleza.

Mientras caminábamos hacia las montañas nos comunicamos sin palabras. La brisa cargada de aire marino nos refrescaba. Le pregunté su nombre y me contestó: «Gabriel». Me volví hacia él y dije: «¿Sabes que ese nombre significa "hijo de Dios"?». Sonrió y dijo: «Lo sé».

Caminamos juntos por un largo rato. Luego él me invitó a su casa para presentarme a su familia. Allí, sus ancianos padres y tres hermanas me recibieron cálidamente. Un agradable fuego ardía en el hogar. Me ofrecieron pan recién horneado y leche fresca. A medida que comía, los alimentos parecían colmarme y darme nueva vida. Cuando terminé, Gabriel me dijo que haríamos un viaje hacia la noche. Desde la infancia, la oscuridad me ha asustado terriblemente, pero en ese momento, junto a Gabriel, la oscuridad se intuía amigable y segura. Subí a su «coche» invisible y juntos nos internamos en la aterciopelada negrura a una velocidad increíble. Entonces desperté.

Este sueño tuvo gran importancia para mí porque, cuando acabó, comprendí que «Gabriel» era una presencia angélica. En la tradición cristiana en la que he sido criada, Gabriel anuncia un mensaje claro, divino. Si bien el Gabriel de mi sueño no indicó la dirección que debía tomar, su presencia amorosa expresaba no obstante una sensación continua de guía interior que me ha acompañado a lo largo de mi vida.

En ese momento intuí que el sueño indicaba que tenía la fuerza interior necesaria para dar un salto a lo desconocido con fe ciega y encarar el traslado a Polonia, que no estaba sola y que no debía tener miedo. Ahora, treinta años más tarde, reconozco que es aún más importante que este tipo de sueños nos recuerden que «pertenecemos a algo más que a nosotros mismos».[21] Nos dan a entender que somos amados, no por lo que sabemos, poseemos o hacemos, sino simplemente porque somos como «niños» de un universo cuajado de estrellas, animado por una «conciencia-más-que-humana».[22]

Dada mi educación cristiana y mi exploración personal de otras tradiciones de sabiduría, uso palabras tales como «Dios», «lo numinoso», «el Misterio», «una Presencia Divina», «el Bienamado», «la Esencia», «una Sabiduría Superior» y «lo transpersonal» cuando me refiero a esta conciencia que todo lo abarca. Una conciencia que nos moviliza en lo más profundo y expande nuestra gratitud hacia la vida. Una conciencia que despierta nuestras mentes y nuestros corazones al principio motor que anima espiritualmente a toda la creación en su abundancia de formas. Esa valoración, en sus muy diversas manifestaciones, expresa nuestra naturaleza espiritual humana.

La raíz de la palabra *espíritu* se encuentra en palabras como *espiración* e *inspiración*, relacionadas con la entrada de aire que nos da vida. Para cada uno de nosotros, lo que nos hace *completamente presentes* en la vida es único. Puede consistir en observar un ritual religioso o dar un paseo por la costa. Al mismo tiempo, aprendí por experiencia propia y la de mis pacientes que los sueños pueden servir a este propósito invaluable cuando comenzamos a estar atentos a ellos.

Antes de aquel sueño con Gabriel, nunca se me habría ocurrido que buscar una respuesta en mis sueños me conduciría de mi país de origen, donde estudié lengua y literatura, a Europa, donde realizaría investigaciones en Psicología de la Religión y me formaría como psicoterapeuta especializada en sueños. Tampoco podría haber imaginado que mis sueños me ayudarían a dirigir programas educativos, a ofrecer servicios de atención en una sociedad de beneficencia y a cofundar el Instituto de Investigación en Sueños (DRI) en Londres, un lugar excepcional donde se estudia la influencia de los sueños en el bienestar de la mente, el cuerpo y el alma.[23]

Entre nuestros proyectos, el DRI ha emprendido investigaciones sobre la manera en que el trabajo onírico sostiene el bienestar emocional de pacientes que sufren de enfermedades autoinmunes,[24] en cómo la recuperación de sueños mediante la terapia propicia cambios positivos de efecto prolongado en el bienestar mental;[25] cómo la guía que ofrecen los sueños favorece con el tiempo el desarrollo creativo;[26] y en qué medida la apariencia de la luz, la simetría[27] y el color en los sueños,[28] así como el movimiento direccional en el espacio de los sueños lúcidos,[29] promueve procesos terapéuticos: temas todos que serán tratados en este libro. En un capítulo posterior describo la manera en que mis numerosos sueños lúcidos me llevaron a explorar lo que ocurre cuando se asume una actitud receptiva antes que intentar «controlar» el sueño, un proceso terapéutico que he denominado «entrega lúcida».[30]

Existen muchos libros eruditos sobre los sueños. Más que explayarme sobre ellos desde un ángulo puramente teórico, mi acercamiento ha consistido en contextualizar los sueños en el mundo natural y en nuestras vidas cotidianas. Estoy agradecida a las numerosas personas que han dado su consentimiento para que sus sueños fueran incluidos en este libro —colegas, amigos, pacientes, estudiantes y colaboradores de distintas compilaciones que pueden consultarse en archivos—. Los soñadores y sus sueños quedan en el anonimato por razones de confidencialidad. Cuando presento un caso completo a manera de ilustración o reflexiones más extensas acerca de un sueño y su valor terapéutico, el soñador aparece bajo pseudónimo.

Les pido que recuerden que no importa lo que yo tenga para decir acerca de un sueño, nada es más auténtico que el sueño mismo. Solo el soñador es capaz de decirnos qué ocurrió en las profundidades del sueño y qué sintió al estar allí. No podemos separar el sueño de la realidad de la persona que lo soñó, particularmente en la medida que un sueño cobra plena vida a través de la manera en que modifica tanto al soñador como a la vigilia.[31] Más aún, cuando un sueño es compartido también puede cambiar a otros.

Con esto en mente, he seleccionado una muestra que claramente pone en primer plano determinadas características de los sueños. Estos relatos en primera persona se dirigen a nuestra experiencia individual y colectiva como seres humanos y han sido recogidos de mis muchos años de trabajo con la gente y sus sueños. Siempre que fue posible, he incluido la propia interpretación del soñador sobre el significado de su sueño y las reflexiones que aparecen citadas han sido escritas por los propios soñadores. No obstante, te invito a que te acerques a cada relato de sueño como si fuera el tuyo.

Contemplados a cierta distancia, los sueños pierden su vitalidad. Por eso, a lo largo de este libro te propongo interactuar imaginativamente con estos ejemplos de sueño a medida que vayamos reflexionando sobre cada uno. Pero si te sientes emocionalmente inestable o te han diagnosticado una enfermedad mental, entonces te recomendaría que consideres cada sueño o ejercicio visual como un observador, antes que como un participante directo. Eso te aportará distancia del contenido emocional del sueño. Puedes también buscar un terapeuta que trabaje con sueños para que te dé contención y orientación adicionales.[32]

En mi presentación del material onírico he intentado ser fiel a los sueños en su tránsito de dentro hacia afuera, para que nos ayuden a entender lo que se siente al entrar en relación con ellos. Esto ha requerido el valor personal de compartir más íntimamente mi propia experiencia. He decidido incluir mis sueños para mostrar que yo también tuve que aprender a confiar en ellos, escucharlos y agradecer cómo nos curan y nos guían. Mis aprendizajes ayudan a señalar la manera de hacerlo; tus sueños te darán la oportunidad de aprender de tu propia experiencia.

Este libro trata tanto de la ciencia como del arte del sueño, con especial atención a sus beneficios terapéuticos, su capacidad de renovarnos, revelarnos nuestra naturaleza y devolver el equilibrio a nuestras vidas. Para eso también necesitamos una comprensión de nuestra psicología y espiritualidad humana. Si bien es bueno saber acerca de la ciencia del soñar, los datos de los circuitos mentales en sí mismos nunca llegarían a explicar la naturaleza reveladora de un sueño y lo que podemos aprender al contemplarlo. Ninguna comprensión puede ser completa ya que, a diferencia del mar, los sueños tienen una profundidad infinita.

El propósito de este libro no solo es transmitir una comprensión más profunda de los sueños, sino también involucrarte en el aprendizaje de confiar en ellos y responder a los sueños guía en la vida despierta. El estilo, tema, contenido y estructura de los capítulos se entrelazan para amplificar un elemento particular de la experiencia de soñar. Es por eso que recomiendo leer el texto de principio a fin. Los lectores que siguen la progresión natural del libro, en lugar de zambullirse en los capítulos que les interesan en particular, encontrarán que cada capítulo, aunque completo en sí mismo, contribuye a la comprensión fundacional de lo que sigue.

Los capítulos uno, dos y tres nos introducen en el estudio y la naturaleza del dormir y de los sueños, con la intención de que el lector aprenda a reconocer la correspondencia entre sueños y vida. Los capítulos cuatro, cinco y seis tratan de los principios subyacentes que los sueños comparten con el mundo natural y la manera en que estos principios reflejan tanto la conciencia humana como la que la trasciende. Los capítulos ocho, nueve y diez consideran la naturaleza de la presencia, la voluntad y la conciencia —incluyendo autoconciencia y conciencia transpersonal— dentro de los sueños. Estos últimos capítulos presentan los frutos de las ideas introducidas y las actitudes cultivadas en los capítulos previos.

Cada capítulo incluye referencias de investigaciones científicas, filosofía, tradiciones religiosas, artes creativas y enseñanzas alquímicas. Las notas de los capítulos, si bien no requieren ser leídas, proveen más detalles y referencias exhaustivas —una verdadera biblioteca del sueño— para aquellos que quieran profundizar determinada área de interés. Con el objeto de aportar ejemplos de investigación en un campo particular, he seleccionado uno o dos estudios clave de especial relevancia y que resulten accesibles.

Sea que los sintamos positivos o negativos, memorables o intrascendentes, fragmentarios o plenos, este libro demostrará que los sueños sirven para conectarnos a una energía transformativa que, como el poder del mar cuando es aprovechado, puede cambiar nuestras vidas y las de quienes nos rodean. Aun cuando dormimos, la intrincada neurología cerebral nos conecta a un misterioso «mar de sueños», a vastos «dominios de posibilidad».[33]

Aunque gran parte del bien que los sueños producen en nosotros ocurre sin que lo advirtamos del todo, para beneficiarnos por completo necesitamos llevar nuestra atención a ellos —no importa si recordamos el sueño entero o solo briznas— antes de que el sueño se desvanezca en el olvido del dormir o en las distracciones de la vigilia. ¡Necesitamos despertar a nuestros sueños!

Escucha tus propios sueños y los de este libro para decidir por ti mismo. Ten presente que al leer estos sueños y aprender acerca del arte y la ciencia de moldearlos, la perspectiva sobre tu vida onírica y tu vigilia cambiará, mientras que tu relación con los propios sueños —y por lo tanto contigo mismo— se profundiza. Al elegir este libro ya has dado el primer paso. Ahora solo necesitas hacer una pausa, recoger los sueños como caracolas en tu mano, darle la vuelta mentalmente a cada uno y reflexionar sobre ellos conmigo mientras experimentamos el poder transformador que poseen.

2

La ciencia y los símbolos del dormir y de los sueños

Que venimos a la tierra para vivir es falso.
No venimos más que a dormir, a soñar.[1]

Poeta azteca

Este capítulo nos transporta a una investigación creativa del ciclo del dormir. Recurriremos a la narración de un sueño para retratar la relación entre dormir y soñar. Primero nos desplazaremos imaginativamente a través del conocimiento concreto sobre el dormir saludable y sobre los desórdenes de los estados oníricos, incluyendo una introducción al sueño lúcido. Luego observaremos más de cerca lo que sugieren los avances en las investigaciones acerca de cómo los sueños nos ayudan a moldear nuestro sentido del yo desde el vientre materno hasta el final de la vida. A la luz de todo lo anterior, consideramos la manera en que el trabajo terapéutico con los sueños mejora nuestra vida emocional, pues nos posibilita regresar a ellos y aplicar la energía y el aprendizaje que contienen para transformar nuestra vida despierta. Retomo los conceptos discutidos a través de una serie de sueños propios, que aparecen en orden cronológico a lo largo del capítulo y que posibilitan un acercamiento personal a ellos.

Comencemos nuestra exploración imaginándonos junto a una fogata cercada por piedras en la costa de un lago tranquilo. Es una cálida noche de verano bañada por la luz de la luna. Estamos sentados, contemplando agradablemente el juego de llamas y sombras mientras hablamos sobre la naturaleza de los sueños. Como las conversaciones junto al fuego invitan a contar historias, voy a relatar uno de mis propios sueños para ilustrar las relaciones entre el dormir, los sueños y la imaginación. El objetivo es prepararnos para una exploración del ciclo del dormir.

> Un hombre joven y una mujer veinteañera contemplan un lago de montaña ubicado en una inmensa cuenca granítica. La lustrosa superficie negra no parece reflejar la luz de la luna. Desnudo, el joven se sumerge gozosamente en el agua y llama a la muchacha a que se le una. De pronto, ella también se encuentra desnuda y se zambulle en las aguas negras.
>
> Bajo el agua, ella se sorprende con los destellos de luz dorada que iluminan el lecho del lago, donde enormes cuadros de cobre tallados con elaborados motivos a la manera islámica cubren el fondo. Pero una capa más oscura que hay debajo sugiere que el lago tiene profundidades mayores. Mientras la mujer admira los bellos cuadros, el joven nada sobre ella riendo y luego se aleja alegremente. Ella nada tras él, consciente de respirar bajo el agua. Entonces despierta.

Al reflexionar ahora sobre este sueño, asocio al joven con el antiguo dios griego del sueño, Hipnos, que nos atrae a las profundidades del dormir y de los sueños. Nacido de la diosa Nyx (la noche), Hipnos tenía un carácter suave, juguetón, una inocencia natural, en contraste con su hermano gemelo Tánatos, que presagiaba la muerte. Sin embargo, cuando dormimos por las noches en cierto sentido «morimos». Mientras entramos en otros reinos, cuyas características y beneficios solo recientemente hemos comenzado a comprender, morimos a la conciencia del estado de vigilia. Esta muerte simbólica nos arroja fuera de la rutina y la tensión del mundo habitual, para introducirnos en el «mundo imaginal» del dormir y de los sueños.[2] En este mundo, la imaginación opera como una «actividad creativa de producción de imágenes y formas», antes que como una fantasía superficial.[3]

No importa lo mucho que intentemos evadir el llamado nocturno de Hipnos con interminables listas de cosas por hacer, distracciones y rodeos, o tomando estimulantes para seguir en pie, al final, debemos despojarnos de nuestra conciencia despierta y rendirnos, desnudos, al dormir.

Volvamos a nuestra fogata junto al lago. Dejamos atrás la luz artificial del mundo urbano, que desafía a la noche y atenúa la luz de las estrellas y la luna. En cambio, miramos hacia arriba y nos maravillamos con el brillo de las estrellas. Podemos dar a nuestros ojos un descanso del incesante resplandor con el que la tecnología oscurece nuestro ciclo natural de luz y oscuridad, el ritmo circadiano de nuestro cuerpo. Las llamas hipnóticas y el fulgor de las ascuas nos calman. Nuestro reloj circadiano, sincronizado hace más de cuatro mil millones de años con la rotación terrestre, gira entre el sol y la luna. Cada célula en nuestros cuerpos responde al ciclo del día y la noche, del dormir y del estar despierto, como lo hace toda la vida en la Tierra, programada para responder con extraordinaria sensibilidad biológica al ciclo diario del ritmo circadiano de veinticuatro horas del planeta. Despiertos y alertas de día, por la noche dormimos entre siete y nueve horas. No lo hacemos de manera uniforme, sino en ciclos de noventa minutos, que se repiten de cuatro a cinco veces por noche, con períodos momentáneos de despertar entre cada ciclo.[4] Si vivimos cerca de la naturaleza, seguimos el patrón natural del sueño de acuerdo con el reloj interno de nuestro cuerpo.

Sin embargo, muchos de los que vivimos en el «mundo desarrollado» intentamos evadir con regularidad este ritmo quedándonos despiertos hasta tarde. Una encuesta de 2016 reveló que el 75 % de los británicos se acuesta después de las 11 de la noche y por lo general solo duermen entre cinco y siete horas, lo que significa la pérdida de una noche entera de sueño por semana, y una reducción total de un 20 % del tiempo de sueño.[5] Desestimar las fuerzas evolutivas que determinan nuestro ciclo de sueño y vigilia ha demostrado ser muy perjudicial para la salud pública. En 2007, la Organización Mundial de la Salud incluyó la «alteración circadiana» a largo plazo como posible causa de carcinógenos en humanos, particularmente cáncer de pecho y de próstata.

El cuerpo se toma al pie de la letra el ritmo forzado de la modernidad. La perturbación crónica del sueño relacionada con el trabajo ha sido asociada a enfermedades coronarias;[6] un turno de trabajo desgastante de doce horas o más incrementa las posibilidades de problemas cardíacos hasta un 40 %.[7] Cuanto más trabajamos para dejar más cosas hechas, lejos de lograr más, incrementamos hasta tres veces nuestras posibilidades de cometer errores, embotando las mismas cualidades que necesitamos para ser realmente productivos: concentración, memoria, exactitud y decisión.[8]

En 2016, la Real Sociedad para la Salud Pública (Royal Society for Public Health, RSPH) observó que para el año 2000 las perturbaciones de sueño ya habían sido identificadas en Reino Unido como «la expresión más común de enfermedad mental en hombres y mujeres en los últimos quince años».[9] Con la intención de que tomemos conciencia de los beneficios de salud del sueño, la RSPH compiló una reveladora lista de riesgos asociados a la privación del sueño, con un total de no menos de treinta y seis potenciales efectos negativos que atañen tanto a nuestra salud física y mental, como a nuestro comportamiento y desempeño.[10] Además de incrementar el riesgo de cáncer y enfermedades cardíacas, la pérdida de sueño debilita el sistema inmunitario, produce desequilibrios metabólicos y favorece el aumento de peso. Una «salud del sueño» pobre desestabiliza nuestro equilibrio emocional, contribuyendo a la depresión, la ansiedad, los estallidos de furia y, lo que es aún más trágico, a un aumento del riesgo de suicidio. Perder apenas una hora de sueño no solo actúa en detrimento de nuestro desempeño laboral, sino que también interfiere con la ida y vuelta del trabajo, pues se le atribuye aproximadamente un 20 % de los accidentes de tránsito en carreteras.[11]

La RSPH recomienda la inclusión de la salud del sueño en el plan de estudios escolar y la creación de un «número de sueño», es decir, una línea telefónica de asistencia para dar consejos al respecto. El Servicio Nacional de Salud (NHS) del Reino Unido viene publicando útiles consejos en internet para la «higiene del dormir», entre los que recomienda lapsos de sueño regulares, una hora libre de dispositivos para desconectarse antes de ir a dormir, un baño caliente, una habitación que sea amigable para el sueño —sin televisor— y llevar un «diario del sueño» para hacer un seguimiento de los patrones oníricos.[12] A esto se puede añadir la evitación de estimulantes como el alcohol, la nicotina y la cafeína, en particular por la noche, cuando el cuerpo y la mente se supone que tienen que cambiar la concentración diurna en el *hacer* por el énfasis nocturno en el *ser*.

Seguir estas directrices, junto con otras sugerencias que se encuentran a lo largo de este libro, también mejorará tu «salud de sueño». La receta más sencilla para un buen sueño nocturno sería «escucha a tu cuerpo».[13] Afortunadamente, la mayoría de nosotros reconoce sentirse mejor después de dormir al menos siete horas por la noche. Recuerdo un sueño mío que me advertía sobre esto.

> Estoy en una habitación con dos mujeres, la de la izquierda es una pragmática y sofisticada mujer de negocios y la otra, a mi derecha, del tipo artístico amable y dulce. Hablamos de trabajo y de nuestras obligaciones. La joven a mi derecha da clases de coro con dedicación exclusiva y dice que también lo hace los sábados. Pienso que del mismo modo yo termino haciendo terapia de sueños los fines de semana, bien temprano por la mañana, después de una semana entera de trabajo diurno, y exclamo: «¡Seis días a la semana! Terminarás agotada». Ella se me acerca, con ojos profundos y grandes, y dice: «Quiero que cada vez más gente conozca el coro sagrado». Dice esto con increíble dulzura y musicalidad en su voz. Con esto, me despierto.

El sueño me invita a redireccionar mis esfuerzos hacia lo que más me importa. Solo al despertar la ironía dramática del sueño se me hace patente: ¡le he dado a la mujer del sueño el consejo que yo misma no sigo! El sueño me advierte que estoy poniendo mi salud en peligro a causa del excesivo trabajo, no importa lo meritorias que sean mis intenciones. Aquí lo importante es descartar el mito de que podemos recuperar el sueño perdido. El especialista en sueño Matthew Walker lo aclara en términos muy concluyentes: «El cerebro nunca puede recuperar todo el sueño del que ha sido privado. No podemos acumular deuda sin sanción, así como tampoco podemos reembolsar esa deuda de sueño más adelante».[14]

Ahora que hemos reconocido la importancia del sueño para nuestro bienestar, volvamos a nuestra fogata junto al lago, a millones de kilómetros de nuestros días de más de veinticuatro horas, que giran en torno al reloj, la luz artificial y la economía frenética del mundo moderno. Aquí, mientras contemplamos meditativamente las hipnóticas llamas, las células fotosensibles de nuestros ojos responden a las suaves longitudes de onda del fuego y de la oscuridad que lo rodea. Estos receptores indican a la glándula pineal que incremente la producción de melatonina, la hormona que induce y mantiene el sueño. Nuestra tendencia natural hacia la homeostasis del dormir/despertar nos lleva a equilibrarnos con el ciclo circadiano, y comenzamos a sentirnos adormilados. Hipnos ha llegado. La frescura de la noche nos resguarda en una oscuridad silenciosa. En tanto la temperatura corporal de la zona media comienza a bajar, células termosensibles adicionales dentro del cerebro también inducen a un aumento en los niveles de melatonina que preparan nuestros sistemas internos para el descanso.[15] El sueño se vuelve irresistible.

Al quedarnos dormidos, es como si nos hubiéramos zambullido en un lago en el que la superficie del agua, iluminada por la luz de la luna, revelase extrañas formas transitorias. En un lapso de pocos minutos pasamos del estadio inicial de sueño superficial al sueño profundo, en el que nuestros cerebros comienzan a encenderse con cargas eléctricas. Estas cargas forman ondas agudas en la estructura cerebral profunda del hipocampo, donde los acontecimientos recientes se combinan con recuerdos antiguos. Las células fusiformes del sueño talamocortical tamizan, filtran y transforman el registro sensorial de nuestra vigilia en recuerdos y ayudan a constelar nuestro sentido del yo. Durante los siguientes cincuenta minutos, aproximadamente, en tanto más células fusiformes se encienden a lo largo de la materia gris de nuestro cerebro, nos volvemos paulatinamente más aptos para procesar nueva información del día precedente.[16]

Las células fusiformes también nos protegen de sonidos externos que de otro modo podrían despertarnos, de manera que, así escudados, avanzamos hacia los límites más lejanos de aquello que los neurólogos llaman sueño de movimientos oculares no rápidos (NREM). En este estado, el cerebro opera a un décimo de la velocidad que tiene cuando estamos despiertos,[17] mientras que regula procesos fisiológicos esenciales a nivel celular, disminuye nuestra temperatura corporal en dos o tres grados y reduce el pulso, permitiendo que el fluido cerebroespinal limpie los residuos de metabolismo celular.[18]

Es significativo que este fluido al parecer limpie la proteína beta-amiloide considerada como la responsable del encogimiento de la materia gris encontrada en pacientes con alzhéimer; por lo tanto, una falta crónica de sueño profundo podría contribuir en gran medida a un aumento en el riesgo de padecer esta enfermedad.[19] Además, en el sueño profundo, la glándula pineal secreta la hormona reconstituyente del crecimiento humano (HGH, en inglés) que activa la reparación de tejidos en los músculos y huesos a través de la regeneración celular. Esta hormona facilita la reparación neuronal, clave de la plasticidad neuronal inherente al tejido de un cerebro saludable.[20] Si no logramos entrar en la fase de sueño profundo en donde se producen las ondas delta, nos volvemos malhumorados, las heridas llevan más tiempo para curarse y el sistema inmune se debilita.

El sueño profundo tiene propiedades curativas para nuestro cuerpo y nuestra mente. Sin embargo, durante el ciclo de sueño, la disminución de la temperatura de nuestro cuerpo lo vuelve más vulnerable, en particular durante la fase REM, en que su termostato interno pierde la capacidad de regular la temperatura corporal.[21] Para protegernos de los peligros de la hipotermia, si la temperatura atmosférica baja demasiado (o sube demasiado), nos despertaremos antes de entrar en fase REM. Una temperatura ambiente de dieciocho grados, como la de una agradable noche de verano, demuestra ser la ideal para dormir y soñar.[22]

Cuando ingresamos en la fase REM del dormir, donde se producen las extensas narraciones típicas de los sueños en REM, nuestro corazón comienza a latir más rápidamente y el ritmo de la respiración aumenta. El cerebro se activa de manera sorprendentemente parecida al estado de vigilia, mientras que nuestra musculatura corporal, fuera de la involucrada en la respiración y los movimientos oculares, se inmoviliza.

Hacia el final de cada ciclo de noventa minutos de dormir, nos embarcamos en sesiones de sueño REM aún más largas. Tienen alrededor de cinco minutos en el primer ciclo de noventa minutos, y unos treinta en el ciclo final de la noche. Sin el bálsamo sanador del dormir nocturno en las fases NREM y REM, una persona desarrollaría en poco tiempo signos de tensión mental: depresión, ansiedad, paranoia y, peor aún, alucinaciones.

Así, por ejemplo, cada vez que el corredor de larga distancia Dean Karnazes cubría 160 km a lo largo de tres días y noches *consecutivos*, comenzaba a alucinar. Karnazes heredó una característica genética que —combinada con un amplio régimen de entrenamiento— inhibe la acumulación de ácido láctico en sus músculos. Tras correr sin pausa por setenta y dos horas, tuvo que parar, no a causa de fatiga muscular, sino porque estaba experimentando alucinaciones.[23]

Parece probable que tanto el trabajo de sueño NREM como el REM actúan sinérgicamente en el establecimiento de los recuerdos que sirven para apuntalar nuestro sentido del yo.[24] Se cree que este proceso comienza antes del nacimiento, durante el tercer trimestre, cuando pasamos la mayor parte del tiempo dormidos en el útero. La tecnología moderna ha expuesto vívidamente que los párpados de un feto dormido en el vientre parpadean de manera similar a la del sueño REM.[25] Podemos preguntarnos qué clase de sueños tienen lugar: impresiones auditivas de la sinfonía de sonidos producidos por los sistemas digestivo, respiratorio y circulatorio de la madre, el latido rítmico del corazón, los sentimientos percibidos a través del sistema nervioso de la madre, los sonidos asordinados de la conversación, la voz de la madre, su canto, fragmentos de música, modulaciones de claridad y oscuridad. Durante este período se forman *por día* medio millón de neuronas, hasta que a los ocho meses el cerebro ha desarrollado cien mil millones de neuronas: ¡una cifra comparable al número de estrellas en nuestra galaxia!

Los bebés prematuros necesitan dormir hasta un 75 % de su día. Estudios que rastrean los EEG de niños prematuros sugieren una correlación positiva entre la proporción de sueño REM y mejores resultados cognitivos.[26] En consecuencia, las unidades de neonatología han tomado medidas para mejorar la calidad del sueño de los niños: luces tenues en la noche, procedimientos de rutina realizados en horas diurnas y, lo que es más conmovedor, el «cuidado canguro»: el bebé duerme en posición erguida, descansando sobre el pecho desnudo del padre o de la madre.[27] A diferencia del 20 % que es característico en los adultos, los recién nacidos pasan cerca de la mitad de su dormir en fase REM.

Si observamos la neuroquímica del estado de sueño en adultos, encontramos una peculiar paradoja: cuando determinadas zonas del cerebro implicadas en el proceso de recuerdos emotivos se vuelven un 30 % más activas que en el estado de vigilia,[28] se produce una sorprendente caída en el nivel de la noradrenalina química, normalmente asociada con la respuesta corporal de lucha o huida.[29] Sobre la base de estos descubrimientos, Walker, que ha propuesto que los sueños constituyen un «teatro biológico» de «terapia nocturna»,[30] plantea la hipótesis de que la caída de noradrenalina al soñar en REM amortigua nuestras reacciones emocionales, permitiéndonos así atravesar emociones dolorosas, en su mayor parte sin despertarnos.[31]

La terapia nocturna del sueño puede compararse con la psicoterapia, donde, con el apoyo del analista, podemos recordar y reactivar recuerdos profundamente emotivos de manera segura. Al mismo tiempo, la terapia estimula una conciencia reflexiva que nos ofrece un panorama de la vida más objetivo. Haciendo uso del vocabulario del teatro, Carl Jung observó que «si el observador [el soñador] comprende que su propio drama está siendo representado en este escenario interior, no podrá ser indiferente a la trama ni a su desenlace».[32] En tanto que «teatro biológico», el sueño, sumado al trabajo de sueño subsiguiente, provee una perspectiva nueva y terapéutica para desafiar el contenido emocional, permitiéndonos integrar mejor la emoción del argumento del sueño y trabajar con más confianza en su significado.

A veces, sin embargo, el soñador puede sentirse sobrepasado por el dolor emocional de un trauma de la vida real revivido en un sueño, en particular si es un sueño recurrente que lo despierta repetidas veces, como sucede en casos de trastorno de estrés postraumático (TEPT). En esta condición, debido a la intensidad de la reexperimentación del hecho traumático, los niveles de noradrenalina se vuelven inusualmente altos. La prazosina, una droga usada normalmente para tratar la tensión alta, suprime además el efecto de la noradrenalina. Sobre la base de su investigación en el sueño REM, Walker experimentó con prazosina en casos de TEPT, y es ahora reconocido como tratamiento aprobado para las pesadillas recurrentes.

El trabajo terapéutico con los sueños, que también ha demostrado ser exitoso en el tratamiento de pacientes con TEPT, da a las personas una sensación de dominio sobre sus pesadillas sin el uso de medicación. Esto tiene su importancia porque dos tercios de aquellos que sufren pesadillas angustiantes creen erróneamente que no se puede hacer nada para cambiar su situación.[33] Uno de los procedimientos más ampliamente reconocidos, la terapia de ensayo en imaginación (IRT en inglés), se concentra en reescribir la situación onírica de una persona para transformar de este modo la experiencia. En lo esencial, las personas que sufren pesadillas reescriben la narración del sueño, dándole la forma que quieren que tenga y ensayando esta nueva versión en su imaginación en breves intervalos durante el día y antes de dormir.

Uno de los más innovadores estudios en este campo, que analizó los sueños de pacientes de TEPT que habían sufrido de abuso sexual, informó sobre notables avances; no solo la severidad y la frecuencia de las pesadillas de los pacientes disminuyeron, sino que lo mismo ocurrió con sus síntomas de TEPT.[34] Cerca del 50 % de los que completaron el estudio declararon haber usado imágenes para enfrentarse a los problemas de la vida diurna.[35] Los investigadores han caracterizado la sensación de dominio de sus pesadillas que tienen los participantes como la clave del éxito de la terapia.[36] Como veremos en el capítulo nueve, «Pesadillas: del temor a la libertad», el dominio *sobre nuestro propio miedo* también demuestra ser clave para enfrentar las pesadillas.

Para un pequeño número de personas, los sueños vívidos o atemorizantes dan lugar a un comportamiento extraño o destemplado aun mientras duermen, incluyendo, aunque sea raro, autolesiones o actos de violencia hacia otros.[37] Semejantes trastornos del sueño, conocidos como parasomnias, a veces surgen de lesiones cerebrales o desequilibrios químicos. Si tu vida onírica interfiere drásticamente y de modo no deseado con tu dormir y tu vida despierto, un especialista calificado puede ayudarte a gobernar o identificar causas biológicas que pueden requerir un tratamiento específico.

A diferencia de las parasomnias, el sueño REM normal prepara las redes neuronales para que reconstruyan emocionalmente acontecimientos significativos,[38] donde el tema del sueño a menudo refleja emociones del día anterior, mientras que ciertos detalles poseen importantes significados simbólicos de carácter personal.[39] Podemos detenernos aquí en nuestro viaje a través del ciclo del sueño para considerar cómo todo esto se puede producir en un sueño real. Ilustraré el proceso con un sueño propio que tuve poco después de que mi matrimonio de dieciocho años acabara en divorcio:

> Sueño que tengo una cabaña de madera sin paredes divisorias, de dos plantas. Uno de mis hermanos ha venido de visita. De pronto me dice que la casa está ardiendo, así que debemos salir, pero tengo tiempo de buscar un par de cosas. Me siento triste, aunque a la vez contenta cuando pienso «Bueno, puedo volver a empezar». La única «cosa» que quiero llevarme es mi muñeca Honeybunch, que perteneció a mi madre. Mi hermano y yo estamos en la segunda planta, y puedo ver las lenguas de fuego subiendo del suelo al techo, pero no siento su calor. Comienzo a preocuparme pensado en cómo haremos para salir si las escaleras están en llamas. ¿Tendremos que saltar? Entonces despierto.

Honeybunch ha sido parte de mi vida desde que tengo memoria. Cuando mi madre tenía siete años la recibió como regalo navideño de su propia madre. En aquel tiempo, mis abuelos habían perdido su casa familiar por culpa de los desastres financieros de la Gran Depresión. La abuela se cortó sus abundantes y largos bucles y los vendió para comprar a cada una de sus tres hijas una muñeca. Luego le pidió a un fabricante de muñecas que tejiera mechones de su pelo cortado entre las cascadas de rizos de cada muñeca.

Siempre sentí adoración por Honeybunch, pero desde la muerte de mi madre me ofrece además una conexión tangible no solo con ella sino con todas las mujeres de mi árbol genealógico. También me pone en contacto con los inocentes ideales de la juventud.

La aparición espontánea de Honeybunch en mi sueño me conectó con una apacible sensación de amorosa seguridad, exactamente el sentimiento que necesitaba recuperar en un momento de mi vida que requería que diese otro salto a lo desconocido, un salto que lo cambiase todo. Su silenciosa presencia actúa como recordatorio simbólico de mis orígenes y de la necesidad de permanecer cerca de un sentimiento terrenal de tiempo y lugar, así como de un sentimiento celestial de esperanza en el porvenir.

En el sueño, mi mente tamiza en forma instantánea todas mis pertenencias y sus significativas asociaciones, mientras determino cuál es la decisión que debo tomar antes de que el fuego las consuma. Mantengo la calma porque siento que el fuego no solo destruye, sino que también purifica. Curiosamente, este fuego no quema. Mi mente ha creado en sueños esta situación, junto con actores, acciones y símbolos; un guion escrito a mi medida. En el corto plazo este sueño me ayudó a levantar los ánimos. En el largo plazo, este y otros de tema similar me ayudaron en la recuperación emocional de mi divorcio. Esta experiencia personal respalda anecdóticamente la investigación de Rosalind Cartwright que sostiene que, con el tiempo, soñar en REM un trauma emocional específico como el divorcio puede ayudar a resolver los sentimientos asociados al hecho ocurrido en la vigilia.[40]

Cuando un sueño cobra relevancia, su intensa carga emocional puede ser un poderoso catalizador para la toma de decisiones. ¿Qué pasaría si solo pudiéramos usar la lógica formal para enumerar, clasificar y organizar la información? Tendríamos que sopesar interminablemente cada elección sin poder recurrir a los sentimientos más instintivos que se necesitan para tomar decisiones en este mundo.[41]

Tener que ingeniárselas sin la guía de los sentimientos instintivos es lo que le ocurre a gente con daño en los ganglios basales, ubicados en el sistema límbico del cerebro, fundamental para procesar las emociones. Las investigaciones han demostrado que estas personas sufren de una condición neurológica llamada acinesia psíquica pura o pérdida de la autoactivación psíquica (APP), que les produce apatía, con carencias en la imaginación y la gama de emociones.[42] No pueden tomar la iniciativa ni llegar a una decisión. Cuando se los despierta de su sueño REM en el laboratorio del sueño, la gente con APP describe sueños poco imaginativos, con acciones básicas y ausencia de sentimientos. Por el contrario, cuando los ganglios basales funcionan normalmente, el sistema límbico trabaja en conjunto con zonas del cerebro asociadas a la cognición y la intuición, permitiendo que el imaginario onírico facilite los procesos de toma de decisiones.[43]

En los sueños lúcidos, en donde somos conscientes de que estamos en un sueño, la toma de decisiones pasa poderosamente a primer plano. Estudios sobre el tema indican que más de la mitad de nosotros recordará el haber tenido un sueño lúcido al menos una vez en la vida, pero que menos de un cuarto los tiene con regularidad.[44] Más adelante, en el capítulo 10, «Viajes a lo profundo: sueño lúcido y entrega lúcida», veremos que nuestra capacidad para el sueño lúcido puede ser entrenada.

Lo más importante es que, en estado lúcido, el soñador puede explorar la naturaleza de los sueños conscientemente y en «tiempo real». Los sueños lúcidos proveen un laboratorio onírico para la exploración de nuestra psicología personal y un conocimiento transpersonal. Como observa Jung, «el sueño es una pequeña puerta oculta en los más recónditos y secretos recovecos del alma, que se abre a la noche cósmica que era psiquis mucho antes de que hubiera una conciencia del yo, y que seguirá siendo psiquis no importa lo lejos que se extienda la conciencia de nuestro yo».[45]

Adelantándose a esta visión de lo transpersonal, y en una época tan temprana como el siglo XVI, el alquimista Heinrich Khunrath denominó «Teatro de secretos» al espacio onírico visionario.[46] De acuerdo con Khunrath, el teatro de sueños servía a la vez como laboratorio alquímico, donde el soñador podía experimentar los «trabajos» asociados con las características de la vida cotidiana, y como «oratorio», un espacio vaciado, en el que la cualidad sagrada de la naturaleza espiritual del ser humano podía realizarse.[47]

Esa fue mi propia experiencia durante el estado lúcido, como relato en el sueño que sigue, en el que me doy cuenta de que estoy soñando y por lo tanto puedo tomar una decisión consciente:

> Estoy nadando en un profundo estanque de agua dorada. Pese a moverme bajo el agua sin esfuerzo, de repente me preocupa mi respiración. Con pánico, intento subir a la superficie. Pero al volverme lúcida, recuerdo que en las enseñanzas espirituales de Emanuel Swedenborg el agua simboliza el conocimiento espiritual. Entonces comprendo que lo que se aparece a mi mente como «agua», una especie de líquido ambarino, es en realidad Espíritu, expresado en el matiz dorado. Me recuerdo a mí misma que cuando usamos la «respiración interior»[48] en el «Espíritu» podemos respirar en esta «agua». Con eso en mente, me doy cuenta de que no tendría que haber ningún problema para respirar, ya que el agua misma es nada menos que el

aliento interior del Espíritu. Súbitamente puedo comenzar a respirar con calma de nuevo, y así nado en las profundidades del Ser con una sensación de absoluto placer, hasta que me despierto.

En este sueño, el hecho de reconocer la esencial cualidad espiritual del «agua» me libera para superar mi miedo y quedarme en lo que se convierte en una experiencia sanadora más que de temor. En la antigua Grecia, en la entrada del templo de Apolo estaban inscriptas las palabras «conócete a ti mismo». Los sueños nos invitan a entrar en este conocimiento. Con su carga de sentimientos y sus notorias cualidades subjetivas, los sueños pueden sentirse más reales que la realidad. En los sueños cobramos vida en formas que pueden engañarnos, asustarnos, animarnos, inspirarnos, desorientarnos, empoderarnos, guiarnos y curarnos. Despertamos a los misterios del Ser.

Cuando comenzamos a prestar atención a nuestros sueños y aprendemos a sentirnos cómodos en sus imperceptibles dominios, da la sensación de que tuviéramos el poder de comenzar a respirar bajo el agua. Sin las restricciones que nos imponen en nuestro planeta las limitaciones de tiempo y espacio, nuestros sueños pueden parecer irracionales desde la perspectiva de la mente lógica, y sin embargo, paradójicamente, su interacción creativa nos ayuda a mantener la conciencia «racional» de la realidad cotidiana al combinar recuerdos, modular nuestras emociones y formar con eficacia la construcción de un sentido personal de nuestro yo con el pasado, el presente y el futuro.[49] Seamos o no conscientes de ello, el proceso de soñar contribuye a la comprensión de lo que somos.

Después de nuestra exploración creativa de las profundidades del dormir y de los sueños, podemos ahora nadar a través de las aguas del reino del sueño hacia la superficie, donde la luz de la conciencia despierta baila sobre nosotros. A medida que los niveles de melatonina en nuestra sangre decrecen y el aluvión neuroquímico nocturno en nuestro cerebro se aquieta, avanzamos firmemente hacia la vigilia completa. Abrimos lentamente los ojos y despertamos, trayendo con nosotros el rico potencial de nuestros sueños, para conocernos mejor y para vivir nuestra humanidad con más plenitud.

3

Los sueños, los árboles y sus raíces en la mente imaginal: transformando la vida despierta

El logro mayor fue al principio y por un tiempo un sueño. El roble duerme en la bellota, el pájaro aguarda en el huevo, y en la más alta visión del alma se agita un ángel despierto. Los sueños son brotes de realidades.[1]

James Allen

¿Somos nosotros los que soñamos o hay un sueño que nos sueña? Para responder a esta pregunta he elegido árboles —lo que sabemos de ellos a partir de la ciencia, la filosofía, las tradiciones religiosas, la alquimia y las artes— con el fin de despejar el camino a una experiencia de imaginación creativa expresada a través de los sueños, a la que llamaré la mente imaginal. El filósofo Ludwig Wittgenstein se pregunta: «¿Puede alguien enseñarme que veo un árbol? ¿Y qué es un árbol? ¿Y qué es ver?».[2] Podemos hacernos las mismas preguntas con respecto a los sueños al proponernos considerarlos bajo una nueva luz. Aprender a estar atento a la mente imaginal —donde el intelecto y la percepción sensorial se encuentran— profundiza nuestra comprensión de los sueños y de la vida. La mente imaginal nos invita a entrar en relación con la naturaleza en lugar de observarla a distancia como un objeto externo a nosotros, una «cosa» aparte.

Para ejemplificar lo que quiero decir, te pido que imagines un árbol con el ojo de tu mente. Puede ser un árbol real con el que estés familiarizado, al que hayas trepado y bajo el que hayas jugado de niño, o a cuya sombra hayas descansado de adulto. Puedes también elegir cualquier otro árbol que te venga a la mente —un sauce suavemente inclinado hacia el río; un manzano con sus humildes regalos; un añoso roble que abraza el cielo; una majestuosa secuoya que atraviesa con su copa las alturas celestes—. Mientras miras el árbol, aspira y exhala profundamente, luego date un momento para experimentar su aroma, su textura, la frescura de su sombra, el color de sus hojas. Con cada exhalación, concéntrate en las cualidades que el árbol tiene para ti, su gracia, su sencillez, su fortaleza, su determinación. Con cada aspiración, incorpora esas cualidades en lo profundo de tu ser.

Ahora imagínate entrando al árbol y tomando su forma: tus pies enraizados en la tierra, tu cuerpo extendido hacia arriba como un tronco, tus brazos como ramas desplegadas, tus pensamientos abiertos como hojas sensibles a tu entorno. ¿Qué se siente al convertirse en un árbol alerta? ¿Cómo cambia tu punto de vista? Cuando estés listo, imagínate saliendo del árbol y contemplándolo de nuevo.

Volver a imaginar al árbol de esta manera te hará más consciente de sus raíces en tiempo y espacio, de la peculiaridad de su forma, su relación simbiótica con el medioambiente o las posibles amenazas que se le plantean. Quizá el árbol era independiente y se sentía autosuficiente, o tal vez deseaba compañía. Quizá aspiraba a llegar más alto que los árboles a su alrededor o se sentía desprotegido, sacudido por tormentas recientes. ¿Parecía saludable o necesitado de luz y de agua? En cuanto a ti, ¿has podido ver al árbol con nuevos ojos? Más allá de lo que hayas sentido en el árbol, antes de seguir leyendo tómate un momento para considerar cómo se relaciona ese árbol con tus propios intereses, esperanzas y sueños, cómo convertirte en árbol puede intensificar lo que sientes acerca de ti mismo, de tu vida... y de los árboles.

Una visualización despierta, como estas reflexiones sobre un árbol, nos permite el acceso a un estado liminar de conciencia parecido al del sueño. La palabra *liminar* deriva del latín *limen* y se asocia con entradas, por ejemplo un umbral o un alféizar, que trazan el punto de contacto entre dos mundos —la costa, lugar en el que el mar y la tierra se encuentran, el crepúsculo y el amanecer en equilibrio entre el día y la noche; los momentos entre el dormir y el despertar; las transiciones de la vida y la muerte—. Cuando reflexionamos sobre un sueño o volvemos a entrar en él imaginativamente, nos involucramos con la conciencia que lo anima. El entrar y salir de esa liminalidad a través de lo imaginario sucede para algunos con más naturalidad que para otros, pero puede aprenderse con asesoramiento.[3]

Si entramos en este estado liminal estando conscientes, los objetos que normalmente percibimos como inanimados pueden asumir vida propia. Al imaginarnos como un árbol, nos reimaginamos a nosotros mismos. En su conmovedor libro *Yo y tú*,[4] el filósofo Martin Buber observa que cuando consideramos un árbol podemos verlo como un objeto para ser clasificado, poseído o utilizado, o podemos entrar en una relación con el árbol mediante la conciencia *gestáltica* de su «forma y estructura, sus colores y composición química, su interacción con los elementos y las estrellas...»[5] Cuando entramos en este tipo de relación, algo que por lo general consideramos inanimado o una persona a la que hemos despersonalizado, se convierte en un «tú» con el que nos relacionamos, antes que en un «ello» que simplemente objetivamos, ignorantes de nuestra arraigada interconexión. Lo mismo se aplica a nuestros sueños.

Los árboles tienen raíces literales, en tanto que nuestras «raíces» humanas son metafóricas, si bien en la mente imaginal ambas se entrelazan y necesitan alimento, tal como lo sugiere el siguiente sueño, que tuve en un período en que sentía que mi creatividad estaba bloqueada.

> Sueño con un árbol plantado en un gran tiesto de madera en la calle donde crecí. El árbol, de considerable tamaño, se ve algo asediado y la tierra, seca. El recipiente es demasiado pequeño. Una mujer observa y comenta que el árbol necesita una buena cantidad de agua. Pero acaba de verter algo oscuro en la tierra. «¿Qué es eso?», pregunto, «¿le ha echado refresco?». «Sí», responde ella, «la cafeína y el azúcar lo despertarán». Estoy muy en desacuerdo con esto, pues veo que la tierra está seca y necesita que la remuevan. Consigo un balde con agua y lo vierto en el tiesto. Luego muevo la tierra húmeda con una pala. Al hacerlo, me sorprende advertir que hay prendas y ropa blanca entrelazadas en las raíces del árbol. Comienzan a surgir objetos de mi pasado, todos asociados con algún momento difícil de mi vida. Me asombra que el árbol haya podido vivir con sus raíces obstaculizadas por estas cosas. Pero más que nada siento la gratitud del árbol por tener la tierra regada, removida y despejada. Comprendo que necesito encontrar un lugar más espacioso para plantar el árbol de modo que pueda seguir creciendo.

El sueño me indicó literalmente que estaba tomando demasiada cafeína y que me había deshidratado. Pero cuando sueño con falta de agua, esto también me sugiere la necesidad de una perspectiva más espiritual, menos pragmática, una perspectiva de «agua viva»: un tiempo para descansar, reflexionar y recargar energía. A causa del sueño recordé que ese día había sentido cierta pena por los árboles plantados en el puesto de un pabellón londinense, pero que, aun así, arrojé desconsideradamente el resto de mi té en el tiesto al no haber ningún otro lugar donde vaciarlo. Inmediatamente sentí vergüenza al recordarlo, consciente de que no había ayudado para nada a aquel árbol. El sueño reflejaba mi conducta desconsiderada. No le había dado ni al árbol ni a mí misma lo que se necesitaba.

El árbol del sueño también reflejaba mi ansia personal de tener un terreno profundo en el que echar raíces. Reflexionando sobre la imaginería del sueño, comprendí que algunos restos de pensamiento del pasado limitaban el crecimiento del árbol, así como el mío propio. El sueño me planteaba, de principio a fin, una tarea psicológica: «despejar» viejas maneras de pensar sobre el pasado y sobre mí misma para hacer lugar a un crecimiento nuevo y creativo en tierra fértil. Así como había sentido la gratitud del árbol al ser atendido, yo también podía sentirme agradecida por la orientación que me daba el sueño.

Cuando reflexionamos sobre los sueños usando nuestra imaginación creativa, ciertos elementos de nuestra historia y psicología personales, entrelazados con la imaginería onírica, cobran vida con el significado y la reciprocidad de lo relacional, y así abren la puerta al mundo imaginal, el *mundus imaginalis* de los sueños.[6] El filósofo francés Henry Corbin propuso este término para referirse a una dimensión de la experiencia descripta por los místicos islámicos como el *'alam-al-mithal*, el mundo de la imaginación presente en los sueños. Este «mundo» surge de la interacción de nuestra conciencia interior con la corporeidad humana, y crea un puente entre nuestra realidad subjetiva y el mundo «objetivo». El mundo imaginal de nuestros sueños, a diferencia del modo en que usamos la imaginación en el estado de vigilia, posee una realidad intensificada propia, que no obstante habla directamente a nuestra experiencia vivida.[7]

Determinados estudios en el área de la percepción y el entendimiento ofrecen indicios acerca de por qué los sueños se sienten más reales que lo meramente imaginario. En primer lugar, a fin de comprender cómo funciona la percepción visual en los sueños, los investigadores compararon la manera en que el ojo se mueve al soñar en fase REM siguiendo un objeto en un sueño lúcido con la manera en que el ojo se mueve en una situación imaginada en estado de vigilia. En el mundo físico, cuando seguimos visualmente un objeto, por ejemplo una hoja soplada por el viento, nuestros ojos se mueven con suavidad, pero cuando simplemente imaginamos la misma secuencia despiertos, los ojos se mueven con breves sacudidas irregulares. Los resultados sugieren que durante el sueño en fase REM el ojo se mueve como cuando sigue objetos en el mundo de la vigilia,[8] contribuyendo a una experiencia del «mundo» que percibimos como «real».

En segundo lugar, y con el objetivo de comprobar si prestar atención a los sueños deriva en conocimiento personal, los investigadores compararon el poder del conocimiento adquirido por sueños recordados con recuerdos de acontecimientos en estado de vigilia. El estudio indicó que cuando las personas prestan atención a un sueño reciente durante un proceso terapéutico, obtienen *mayor* conocimiento personal que cuando consideran un hecho reciente de la vida despierta en un contexto terapéutico similar.[9] Estos descubrimientos podrían dar crédito a la idea de que un aumento de actividad en zonas cerebrales asociadas con las emociones durante el estado de sueño en fase REM, sumado a una disminución de ingreso de datos sensibles, otorga al contenido del sueño más inmediatez que los acontecimientos simplemente imaginados o recordados.

Como parte de un estudio sobre imaginería visual onírica conducido por el investigador Helder Bértolo, se les pidió a cierta cantidad de voluntarios que dibujaran escenas de sus sueños. Un participante esbozó lo que había visto: una playa donde dos niños jugaban en la arena protegidos del sol por una palmera, con gaviotas sobrevolando la escena y un barco navegando a lo lejos. La escena puede parecer poco significativa hasta que nos enteramos de que el soñador es ciego de nacimiento. Esto impulsó a Bértolo a preguntarse cómo era posible tener esa imaginería visual sin percepción ocular.[10] Aun reconociendo que los ciegos toman datos de otros canales sensoriales para crear sus representaciones mentales, Bértolo se preguntaba si el nivel de detalle de las representaciones pictóricas implicaba una *experiencia visual* así como propiedades espaciales.

Investigaciones posteriores demostraron que al carecer de los datos visuales necesarios para crear recuerdos visuales, los sueños de los ciegos congénitos presentan características que provienen en su mayor parte de los sentidos del oído, el tacto, el olfato y el gusto.[11] Sin embargo, estos dibujos en los que los ciegos representan sus sueños plantean preguntas fundamentales acerca de la naturaleza de la percepción visual sin datos visuales y acerca de cómo «vemos» en un sueño. Una persona ciega puede experimentar el acto de «ver» en sueños; uno de los participantes del estudio de Bértolo se declaró reacio a afirmar que podía ver en sueños porque se le había dicho previamente que «no podía ver cosas sino solo sentirlas».[12]

Trabajos posteriores confirmaron que los sueños de los ciegos y de los videntes comparten en primer lugar tipos similares de contenido emocional y temático.[13] Según parece, tanto los ciegos como los videntes tienen en común una «visión interior» percibida por el «ojo» de la imaginación creativa de los sueños. La tonalidad de sentimiento, así como la cualidad relacional de la mente imaginal, se basa en formas de conocimiento que son más profundas que los simples productos de la percepción sensible. Al considerar la naturaleza de los sueños, según la recomendación de Buber, debemos «atenernos al significado de la relación», teniendo en cuenta que en sueños, como en el estado de vigilia, «la relación es recíproca».[14]

En lugar de pensar en los escenarios oníricos como algo extraño porque se apartan de nuestra experiencia ordinaria espaciotemporal y confunden nuestras expectativas, podemos valorar el hecho de que nos desafíen *y* nos hagan sentir fuera de nuestro marco habitual. Una manera de hacerlo es prestar atención a las cualidades metafóricas y asociativas de nuestro cerebro derecho, características de la mente intuitiva y creativa, antes que en el acercamiento más lineal y racional del cerebro izquierdo.

El neurocientífico y psiquiatra Iain McGilchrist denomina «comprensión cerebro-derecha del mundo» a la que surge de «la empatía y la intersubjetividad como base de la conciencia». McGilchrist observa que al contemplar el mundo con la perspectiva del cerebro derecho, nos percatamos de «la importancia de prestar atención al mundo de manera abierta y paciente, todo lo contrario de una atención obstinada y ávida».[15] En su descripción de las diferencias «fundamentalmente asimétricas» con que los hemisferios izquierdo y derecho perciben el mundo, McGilchrist señala que «no se trata de diferentes maneras de *pensar* el mundo: son diferentes modos de *estar en* el mundo».[16] Esta declaración es igualmente válida para los sueños.

Como el hemisferio derecho se activa más durante el soñar,[17] junto con áreas del cerebro asociadas al procesamiento de emociones, se deduce que podemos aprender con utilidad a entrar en un *modo de ser* más cerebro-derecho al volver a relacionarnos con los sentimientos de nuestros sueños a través de la terapia de los sueños. En su obra clásica *La interpretación de los sueños*, Sigmund Freud se refiere a las imágenes oníricas como «pensamientos del sueño».[18] Yo prefiero utilizar el término *sentimientos del sueño* para subrayar nuestra respuesta emocional a la imaginería onírica.

En cuanto al contenido de la imaginería onírica, Joseph Campbell ha explicado que «en sueños las cosas no son únicas, sencillas y separadas como pueden parecerlo; la lógica aristotélica fracasa, y lo que es *no A* puede muy bien ser *A*».[19] Una forma de pensar igualmente metafórica permitió a Einstein imaginar un viaje a lo largo de un rayo de luz, relativizar el tiempo en un ascensor estelar y concebir la estructura espaciotemporal como un trampolín curvado por el peso de una bola de boliche.[20] Cuando se le preguntó a Einstein si confiaba más en su imaginación que en el conocimiento, respondió: «Soy lo bastante artista como para basarme libremente en mi imaginación. La imaginación es más importante que el conocimiento. El conocimiento es limitado. La imaginación rodea al mundo».[21] Un conocimiento intuitivo de esta clase tiene consecuencias significativas no solo en cómo vemos nuestros sueños (y árboles), sino también en la manera en que compartimos la tierra con ellos y entre nosotros. Como nos recuerda el psicólogo James Hillman, la imaginación «no es una mera facultad humana, sino una actividad del alma de la que la imaginación humana es testimonio».[22]

Mucho antes de la identificación del «efecto del observador» en física cuántica, en el que la sola presencia de un observador afecta el resultado del experimento, los viejos alquimistas reconocieron la influencia de su estado mental en lo que investigaban. En su búsqueda del oro —una búsqueda tanto material como espiritual que terminaba por conferir la inmortalidad— los alquimistas exploraron la intersección entre la imaginación humana y el mundo material. Un texto alquímico seminal titulado *Tabla de esmeralda* o *Tabula smaragdina*, atribuido al legendario Hermes Trismegisto, declara enigmáticamente: «Lo que está arriba es como lo que está abajo, y lo que está abajo es como lo que está arriba».[23]

Este precepto expresa el axioma alquímico de la correspondencia entre la experiencia subjetiva y la «realidad» objetiva. Para los alquimistas, el mundo espiritual anima al mundo material, en el que la capacidad humana para la imaginación creativa es un reflejo de la imaginación divina o «teofánica» del Supremo Creador.[24] El alquimista Heinrich Khunrath sostuvo osadamente que «quien niega los verdaderos sueños, habla en un sueño».[25] Las manifestaciones oníricas, según Khunrath, pueden revelar los secretos del universo creado. En los sueños, no menos que en la vida, el conocimiento experiencial que recoge la mente imaginal produce percepciones y una profunda conciencia reflexiva.

En una sociedad moderna firmemente enfocada en la productividad y las mediciones de resultados, el estado liminar ha luchado para mantener su estatuto histórico como un importante medio para la sanación del cuerpo, el corazón y la mente. Sin embargo, esta facultad imaginativa, con raíces profundas en nuestra humanidad compartida, sigue siendo esencial para nuestro bienestar. Si durante la visualización de tu árbol, por ejemplo, hubieses estado conectado a un dispositivo que monitorease tus variaciones cardíacas, muy probablemente habrías descubierto que en la medida en que su respiración se hacía lenta y profunda, tu ritmo cardíaco se volvía más «coherente».

Tu corazón envía estas señales al cerebro a través de nervios, hormonas y sobre todo a través de su campo biomagnético (estimado cinco mil veces más fuerte que el del cerebro).[26] Estos impulsos a su vez sincronizan o «suben al mismo tren» tus ondas cerebrales con tu ritmo cardíaco,[27] aquietando tus pensamientos y disminuyendo los niveles de daño celular producido por los oxidantes y por el cortisol que genera el estrés. Estas investigaciones dan cabida a la reflexión que hizo Pascal hace cuatrocientos años acerca de que «el corazón tiene razones que la razón desconoce».[28]

Los investigadores que desarrollaron HeartMath* han descripto la inteligencia del corazón como

> ...el flujo inteligente de conciencia y percepción que experimentamos una vez que la mente y las emociones se equilibran y encuentran coherencia a través de un proceso iniciado por uno mismo. Esta forma de inteligencia es experimentada como un conocimiento directo e intuitivo que se manifiesta en pensamientos y emociones que resultan beneficiosos para nosotros mismos y para los demás.[29]

---

*Aparato de uso personal que mide las variaciones del ritmo cardíaco y su relación con las ondas cerebrales [N. de T.].

La conexión corazón/cerebro nos ayuda a encontrar soluciones allí donde la mente lógica ha llegado a un punto muerto,[30] incluyendo a través del «conocimiento directo, intuitivo», la «inteligencia del corazón» obtenida cuando desaceleramos y respiramos profundo, tomándonos el tiempo para trabajar imaginativamente con nuestros sueños y los sentimientos que despiertan en nuestra vida diaria.

Otras investigaciones han mostrado que, al dormir, nuestra respiración disminuye gradualmente hasta un diez por ciento durante un período de varias horas, mientras que en meditación el ritmo se reduce entre un veinte y un cuarenta por ciento en pocos minutos.[31] Este tipo de cambios en el ritmo respiratorio podría ser una de las razones por las que, cuando una persona visualiza o reflexiona sobre un sueño cuando medita, puede sentirse soñada en lugar de soñando.

La liminalidad entre los sueños y la vida despierta queda revelada en el sueño bíblico de cerca de tres mil años atrás que tuvo un antiguo rey de Babilonia. El sueño desconcertó tanto al rey, que pidió a los magos de la corte que discernieran su significado:

> Este es mi sueño; interprétalo para mí. He tenido estas visiones mientras yacía en el lecho: miré, y allí frente a mí se encontraba un árbol en medio de la tierra. Su altura era prodigiosa. El árbol crecía alto y fuerte y su copa tocaba el cielo; era visible desde los confines de la tierra. Su follaje era hermoso, sus frutos, abundantes y en cantidad suficiente para todos. Debajo de él los animales encontraban refugio, y las aves vivían en sus ramas; cada criatura era alimentada por él...

> Miré, y allí frente a mí había un hombre santo, un mensajero, que bajaba del cielo. Con voz clara me ordenó: «Tala el árbol y corta sus ramas; quítale el follaje y esparce sus frutos. Que los animales huyan de él y las aves vuelen de sus ramas. Pero deja que la cepa y sus raíces, atadas con hierro y bronce, permanezcan en tierra, entre los pastos del campo.
>
> Que lo cubra el rocío del cielo, y que viva con los animales entre las plantas de la tierra. Su corazón de hombre sea cambiado y le sea dado corazón de bestia, y pasen sobre él siete tiempos.[32]

Consideremos por un momento al árbol en sí, radiante de vida, y luego imaginémoslo abatido, reducido a una cepa atada con hierros. ¿Qué clase de fuerzas externas abaten a los árboles? El «hombre santo» del sueño no da razones para la destrucción pero, desde nuestra perspectiva, podemos reflexionar sobre las fuerzas humanas que han llevado a la destrucción del medioambiente natural de la Tierra y considerar en qué medida esto puede relacionarse con nuestra experiencia individual.

En este relato bíblico, el profeta Daniel explica al rey que el sueño revela los pensamientos de su corazón.[33] A continuación le ofrece una interpretación psicológica notable —«Tú mismo eres, oh, rey, ese árbol»— con lo que le advierte de que sea menos orgulloso, más bondadoso con los que ha oprimido y que reconozca su dependencia de un poder superior al suyo.[34] El rey no sigue su consejo y un año después pierde la razón, pasa otros siete viviendo en los campos y finalmente recupera su salud y su reino. Tradicionalmente, se considera que este rey sufre a causa de su orgullo. Sin embargo, en el siglo XXI, el sueño también nos recuerda los desequilibrios que destruyen individuos y entornos cuando la humanidad olvida que la mente debe servir al «corazón».

Por el contrario, durante el estado de vigilia, al igual que en los sueños, cuando un árbol es percibido desde la perspectiva de la mente imaginal, puede estar reflejando algo de nuestra psiquis individual, invitándonos a conectar nuestro yo más profundo con el mundo exterior. El poeta alemán Rainer Maria Rilke toma este tema:

> ...Oh, yo que ansío crecer,
> miro hacia fuera y dentro de mí crece el árbol.[35]

Ahora quisiera que nos trasladásemos a una retirada arboleda londinense en Hampstead Heath donde se alza el «árbol hueco». Se trata de la última de una serie de hayas que fue plantada a fines del siglo XIX. Su tronco hueco es lo bastante amplio como para albergar a un par de adultos. Para tener un hueco tan grande, debe haber sufrido una herida importante que expuso su duramen. Aun así sobrevivió.

He visitado este árbol en momentos de turbulencia y agotamiento. Dentro del hueco presionaba con las palmas de las manos abiertas las espirales de corteza ablandada por el tiempo y al instante me sentía a salvo, tranquilizada, reenergizada, envuelta por un ser cuya duración se extenderá por muchas generaciones después de la mía. La belleza de su hueco muestra con elocuencia que la sabiduría es fruto del sufrimiento. Su seno vacío crea vida nueva, una sensación de renacimiento. Ahora que vivo demasiado lejos para visitarlo con regularidad, una foto en mi estudio me lo recuerda. Con solo recordar su presencia, ya me siento mejor. El hecho de personificar a este árbol me centra. En mi mente y en mis sueños regreso a él a menudo. Su creativa quietud me habla de la profunda necesidad de contemplación y creación. Su oquedad me recuerda mi anhelo por tener un niño y las muchas formas en que traemos vida a este mundo a partir del vacío.

El escritor Richard Powers, en su novela *El clamor de los bosques* (*The Overstory*) explora la manera en que los árboles conforman nuestros entornos como protagonistas activos de nuestras vidas gracias a su inteligencia y su calidad de persona. Powers reflexiona sobre la generosidad y la recompensa que significan, en particular el abeto de Douglas, cuyas raíces transmiten a los otros árboles la reserva de nutrientes que les queda antes de morir. El narrador llama a sus primos arbóreos «árboles dadores».[36] Una individualidad finamente sincronizada armoniza cada árbol en un sistema interdependiente que supera ampliamente sus límites individuales.

De manera parecida, en su delicioso libro *Vida secreta de los árboles* (*The Hidden Life of Trees*), al que el título de mi libro alude afectuosamente, el guardabosques Peter Wohlleben comparte su descubrimiento de una «red arbórea global». Esta «red», compuesta por raíces de árbol entrelazadas con hongos que pueden cubrir un bosque entero, permite a los árboles transmitirse información acerca de plagas, peligros y reservas de alimentos.[37] Más aún, los árboles mayores pueden mantener a los jóvenes, y árboles de diferentes especies se cuidan entre sí compartiendo nutrientes.[38] Podemos afirmar que los árboles, a través de sistemas de raíces que se extienden más allá del diámetro de su copa, se comunican y extienden sus conexiones sociales de manera muy similar a como nosotros lo hacemos a través de la interconectividad de nuestra tecnología. Científicos fineses y húngaros han descubierto que los árboles también «duermen».[39] Podríamos entonces preguntarnos si acaso sueñan.

Sin perder de vista la máxima «Al igual que arriba, abajo», esta imaginería tan terrenal nos sirve de analogía adecuada para la comprensión junguiana de los sueños que golpetean en la psiquis del inconsciente colectivo. Cada noche, nuestros sueños nos recomponen y nos dan forma y, a su vez, nos modelan a todos. Mientras dormimos, nuestros sueños respiran en nosotros, transformándonos de incontables maneras que la gente del pasado conocía; maneras que, en este mundo moderno, necesitamos volver a aprender. En los sueños experimentamos las propiedades de la mente imaginal, que extienden nuestro rango de pensamiento, sentimiento y acción hasta incluir un reino de posibilidades que va más allá de la mente tal como generalmente se la percibe. Como señaló Jung, «todo lo que actúa [en nosotros] es real».[40]

La teoría de la relatividad de Einstein nos dice que mientras el espacio se expande como un globo a nuestro alrededor, el centro del universo se fusiona en torno a nuestra percepción individual; dondequiera que estemos *es* «aquí», el centro; un punto de vista que, llevado al extremo, puede derivar en un enfoque peligrosamente egocéntrico. Al mismo tiempo, de acuerdo con Einstein, la noción de que estamos separados unos de otros y del universo implica una «ilusión óptica».[41] Esta idea aparece en una enseñanza medieval, muy probablemente de base rabínica, que describe a «Dios» como un ser cuyo centro está en todas partes y su circunferencia en ninguna.

Jung proclama un mensaje similar en lo que respecta a los sueños: «Toda conciencia separa; pero en sueños nos asemejamos a ese hombre más universal, verdadero y eterno que habita en la oscuridad de la noche primordial».[42] De manera similar, un sueño reconsiderado a la luz de nuestra imaginación creativa puede darnos el sentido del ser centrado en nosotros mismos y a la vez como parte del universo entero. El analista junguiano Edward Edinger comparte un sueño de este tipo, registrado en una paciente que después de muchos años de esfuerzo personal y terapia superó su amargura a través de la aceptación.

> Veo un árbol que ha sido abatido por un rayo. Sin embargo, no se ve destruido por completo, sino que algo del poder eléctrico se ha incorporado al árbol y a su entorno, donde produce una inusual fertilidad.[43]

Sueños como este nos recuerdan que, pese a todo lo que podamos saber del universo, ciertas características fundamentales como el espacio, el tiempo, la luz, la conciencia, los sueños e incluso los árboles siguen siendo un misterio para nosotros.

El término *tiempo de sueño*, acuñado originalmente por el etnógrafo Francis Gillen,[44] es utilizado para describir el sentido temporal de los pueblos originarios como un «en donde quiera» eterno, un continuo en el que el pasado vive en el presente a través de las relaciones con los ancestros.[45] En el marco de esta tradición, se puede acceder y vivir en el tiempo de sueño a través de sueños y ceremonias. Esta percepción del tiempo ofrece lo que Mircea Eliade, historiador de las religiones, describe como una «manera de estar en el mundo», una «historia sagrada» de la que surge la humanidad.[46] En palabras de un aborigen del Kalahari, «hay un sueño que nos sueña».[47] Entre los pueblos indígenas de Australia podemos toparnos con la creencia de que, antes de la concepción de un niño, su espíritu debe aparecérsele en sueños a uno de los padres.[48] Los sueños, de manera muy concreta, se convierten en «el semillero de la realidad».[49]

En la cosmología aborigen del «soñar»[50], algunas características del paisaje natural que señalan importantes caminos o localizaciones son moldeadas a partir de la forma y las acciones del ancestro que alguna vez anduvo y descansó por allí. Así por ejemplo, creían que el baobab, con sus retorcidas ramas superiores y su tronco hinchado, había sido invertido por un dios furioso. Los chamanes australianos, al hacer un sacrificio al dios de la vegetación, tenían la imagen de un árbol invertido junto a sus altares.[51] El árbol invertido representa gráficamente la creación como algo originado por fuerzas y poderes invisibles.

De manera similar, los árboles han sido utilizados en las distintas culturas como símbolo de la conciencia. Uno de los escritos hindúes más antiguos, el *Katha upanisad*, describe un árbol invertido, la higuera Banyan, cuya extensa red de follaje, adornada con filamentos de raíces aéreas, crece de manera exponencial hasta contener «todos los mundos en ella».[52] De acuerdo con la tradición, Buda eliminó las distracciones de la mente bajo las hojas con forma de corazón del árbol Bodhi, una higuera sagrada, y de este modo alcanzó la iluminación. Los místicos judíos del medioevo imaginaron la relación entre la unidad del *Ein Sof*, el Absoluto Infinito, y el mundo múltiple como un árbol invertido, la Cábala, el árbol de la vida. De él declaró en el siglo XIII el *Libro del Zohar*: «Ahora este árbol de la vida se extiende desde lo alto hacia lo bajo, y es el sol el que lo ilumina entero».[53]

Antes de que los humanos desarrollaran tecnologías dependientes del combustible, las culturas antiguas se volcaban a los árboles no solo por su utilidad —madera para calentar y construir, o corteza, semillas y frutos para sanar y sostener la vida—. También se sentían atraídos hacia los árboles porque percibían una conexión con el reino espiritual a través del «árbol del mundo», el «árbol cósmico» en el centro de la existencia, un espacio consagrado.[54] El tronco del árbol servía como representación del *axis mundi*, el eje central del mundo, con raíces que llegaban al centro de la Tierra y el follaje que alcanzaba los más altos cielos.

Hasta el día de hoy, el *axis mundi* del árbol cósmico permite a los chamanes hacer un viaje más allá de los límites del espacio y el tiempo, en el que el cuerpo físico es suplantado por un cuerpo sutil capaz de bilocación, sanación y desplazamiento a otros mundos. Los chamanes siberianos llegan a este árbol en forma de águilas, desde donde vuelan al inframundo o ascienden al mundo celeste. El chamán pone en práctica su vocación a través de dos medios esenciales: el tamborileo y los sueños. Su tambor lo fabrica con madera del árbol sagrado. El tamborileo, como el latido constante del corazón, pone al chamán en un trance liminar en el que se suceden visiones y sueños que lo lanzan en viajes extáticos con el objeto de encontrar y sanar el alma de su paciente.

Mircea Eliade, en su completo estudio *El chamanismo y las técnicas arcaicas del éxtasis*, nos ofrece el relato de un iniciado que, enfermo de viruela, soñó que era transportado a una isla en la que se le presentaba un joven abedul:

> ...era el árbol del Señor de la Tierra. Bajo su copa crecían nueve hierbas, ancestros de todas las plantas de la tierra. El árbol estaba rodeado por los mares, y en cada uno de estos nadaba una especie de ave con su cría. Había varias clases de patos, un cisne y un gavilán. El aspirante visitaba todos los mares... Después de visitar los mares, el aspirante levantaba la cabeza y veía hombres de diversas naciones... Oyó que decían: «Se ha decidido que

> debes tener un tambor (es decir el cuerpo de un tambor) hecho con las ramas de este árbol». Comenzó a volar con las aves del mar. Cuando dejaba la costa, el Señor del Árbol lo llamó: «Mi rama acaba de caerse; tómala y hazte un tambor que te servirá toda tu vida». La rama tenía tres bifurcaciones y el Señor del Árbol le dijo que se hiciera tres tambores con ella que debían ser guardados por tres mujeres, cada tambor para una ceremonia especial: el primero para atender a las parturientas, el segundo para sanar a los enfermos, el tercero para encontrar gente perdida en la nieve...[55]

De acuerdo con la actitud de la física clásica, esa clase de viajes oníricos pueden descartarse como mera imaginación. Sin embargo, los sueños tienen una realidad propia, sin que importe lo extraños o sorprendentes que sean. Podemos aceptar mejor el carácter inusitado de los sueños al echar una ojeada al mundo contraintuitivo de la mecánica cuántica, donde las partículas subatómicas existen en todas partes y en ninguna parte al mismo tiempo. Desafiando las leyes de la física clásica, las partículas atraviesan la materia, se influencian entre sí a distancia y, al ser percibidas y medidas, cambian de forma. Fenómenos como esos nos ayudan a entender descubrimientos científicos que de otro modo resultarían inexplicables, por ejemplo el de que los fotones pueden comportarse a la vez como partículas y como ondas, según la manera en que se los mida.[56]

La ciencia reconoce que los mundos de la física clásica y la mecánica cuántica coexisten, aunque la forma en que lo hacen sigue siendo un misterio. Pero en nuestros sueños, en particular los lúcidos, estos mundos aparentemente se combinan mientras caminamos sin esfuerzo atravesando paredes, desafiamos la gravedad y volamos, viajamos a la velocidad de la luz o incluso más rápido, influenciamos objetos a distancia y cambiamos de forma.

Estas experiencias aparecen en un sueño lúcido que compartió conmigo Michael, un hombre de treinta años que acababa de aceptar un nuevo y desafiante puesto de trabajo:

> Estoy en un coche que conduce mi amiga a través de un campo soleado, otoñal y lejano; las hojas son amarillas en todos los árboles que nos rodean. Mi amiga gira a la derecha y encara una empinada cuesta que hace que el coche vuele verticalmente en el aire. Sabiendo que vamos a estrellarnos con la caída, escapo del vehículo en pleno vuelo. Luego me doy cuenta de que puedo controlar la dirección de mi caída y voy sobrevolando una arboleda muy alta. Los árboles parecen al principio imponentes pinos, pero aquel al que me dirijo es como un gigantesco sauce llorón salido de un sueño. Me aferro a sus ramas, mayormente desnudas y rojizas, y estas me depositan suavemente en el suelo.

Michael se dio cuenta de que las leyes de la física clásica no operan en sueños y por eso actuó en consecuencia. Su conciencia de estar soñando le ayuda a pensar fuera de lo convencional y al mismo tiempo refleja la actitud receptiva que corresponde a nuevas posibilidades. Michael despertó de su sueño con la sensación de que tendría un «aterrizaje seguro» sin importar los desafíos por delante.

En el sugerente poema «Los dos árboles», William Butler Yeats nos invita a mirar en nuestros corazones, allí donde se alza el «árbol sagrado».[57] Yeats nos pide que miremos este árbol antes que el «espejo amargo» que refleja todo lo que nos agobia en la vida. En los momentos en que desesperamos, los sueños pueden ayudarnos a recordar el «árbol sagrado» que Yeats describe de manera muy real. Soñé algo parecido en un momento de mi vida en que sufría el dolor personal de tener que aceptar que no podría tener hijos. En el sueño me volví lúcida, consciente de estar soñando, lo que me llevó a un alto nivel de claridad y belleza. El paisaje onírico desaparecía, y sentía como si me transportara a través de vastas distancias por un espacio de resplandeciente luz negra:

> ...a través de una expansión infinita de brillante oscuridad emergen anillos concéntricos de un rojo intenso. El deseo de hundirme en el rojo se apodera de mí, y me pregunto si a continuación aparecerá el color verde. En cambio bandas de un púrpura profundo llenan los anillos externos. «Rojo y púrpura», pienso, «son los colores de la realeza: ¡esto es lo Divino!». Pero luego, en lugar de mantenerme concentrada en los asombrosos sentimientos despertados por la forma luminosa, mis pensamientos comienzan a fijarse en lo que vendrá a continuación. Sé por muchos sueños lúcidos previos que, cuando pienso que algo está ocurriendo, mi concentración se dispersa y el sueño acaba, pero si puedo dirigir mi mente al punto de los profundos sentimientos del sueño, este continúa. Mientras me esfuerzo por concentrarme cantando una canción sagrada y respirando profundamente, del centro de los anillos concéntricos brota y se ramifica un árbol de color rojo. «¡El árbol de la vida!», exclamo para mis adentros. Las ramas me alcanzan, eleván-

dome entre el follaje rojo y la oscuridad hasta otro sueño.

Este sueño anticipó un incremento de creatividad en mi vida. Me sentí literalmente sostenida y energizada por la imaginería ramificante de este sueño, que evoca las «ramas sagradas» tan bellamente descriptas por Yeats. La experiencia renovó mi esperanza en la vida. La inteligencia emocional del corazón anima este sueño y ayuda a enfocar mi mente, haciendo que cuestione la famosa máxima de Descartes «pienso, luego existo», una declaración que trata a la mente como si estuviese separada del cuerpo y de los sentimientos.

En su provocativo ensayo *El error de Descartes,* Antonio Damasio recurre a descubrimientos en el ámbito de la neurología para desafiar este dualismo. Damasio aboga por la inclusión de la sensación corporal de los sentimientos —refinados por el aprendizaje y la experiencia, que por consiguiente dan forma a nuestra respuesta sensible— como la base exclusiva de nuestro poder de razonamiento.[58] En este caso, quizá sería mejor decirnos: «soy consciente, luego existo», entendiendo la conciencia no solo como percepción, memoria y cognición, sino también cosas tan importantes como las emociones, los sentimientos, la imaginación creativa y los sueños.

Cultivar nuestra capacidad para la imaginación creativa es algo que la vida onírica ayuda a mejorar. En cuanto a mí, casi todas las mañanas me levanto temprano para prepararme una taza de té y volver a la cama, donde paso un tiempo anotando mis sueños y reflexionando sobre ellos. Si aún no llevas un registro de tus sueños, búscate un cuaderno y cada mañana, antes de comenzar el día, tómate unos minutos para apuntar tus sueños, aun cuando solo recuerdes fragmentos: una imagen, un color o un sentimiento. Si no logras recordar nada, anota lo que eso te hace sentir y reflexiona sobre algún otro sueño que hayas tenido antes para ver cómo lo puedes relacionar con el presente. También puedes considerar un acontecimiento reciente en el estado de vigilia *como si* fuera un sueño.

Al reflexionar diariamente sobre tus sueños, te asomas a contemplar tu corazón. En primer lugar anota cómo te sentiste al despertar, las preguntas que el sueño ha suscitado y las respuestas que podría darte. Describe la escena, el marco y la atmósfera: las cualidades emocionales, la secuencia de eventos, tu sentido del yo y de los otros así como la imaginería onírica, sin olvidar la luz, el color y la oscuridad. Considera los acontecimientos y las emociones que el sueño estaría reflejando, tanto del pasado como del posible futuro. ¿Te gustaría haber actuado de otro modo en el sueño? ¿Hay una parte del sueño que te gustaría volver a visitar y con la que quisieras volver a involucrarte? Si es así, ¿qué habría pasado en el caso de que el sueño continuase? ¿Hubo momentos de conciencia de estar soñando cuando reconociste que algo en el sueño correspondía o difería del estado de vigilia? Los capítulos que siguen te aportarán nuevos modos de abordar estas cuestiones con mayor claridad y reflexión.

Al estar pendiente de tus sueños comenzarás a notar una respuesta recíproca de parte de tu vida onírica.[59] A medida que trabajes en su contenido psicológico, tu recuerdo del sueño no solo será más claro, sino que el contenido onírico también se volverá menos confuso y más comprensible.

Como un árbol cuyas extensas raíces lo estabilizan y absorben nutrientes del suelo para el follaje, la conexión emocional y el entendimiento profundo que un sueño inspira dan renovado vigor a la vida y la transforman. Dada la miríada de correspondencias entre nuestra percepción de los árboles y de los sueños cuando los consideramos con los atributos de la mente imaginal, quizá la mejor respuesta a la pregunta planteada al comienzo de este capítulo puede responderse con una paradoja: «¿Acaso soñamos o es un sueño el que nos sueña?». Soñamos y somos soñados *al mismo tiempo*.

4

El lenguaje de las rocas, las piedras y los minerales: un caso ilustrativo

Surca el bosque y allí estaré;
Levanta la piedra y allí me encontarás.[1]

Evangelio de Tomás

¿Alguna vez has tenido un sueño que te emocionara tanto como para despertar en medio de él, dejándolo «inconcluso»? Despertarse puede aliviar momentáneamente la tensión, pero el sueño interrumpido deja un residuo de sentimiento que persiste, y que podría hacer que te preguntes: «¿Qué habría pasado si no me despertaba?». Un sueño inacabado busca solución al igual que una piedra rueda cuesta abajo hasta que se detiene.

Estamos programados mentalmente para despertar cuando percibimos una emergencia, tanto dentro del sueño como de una fuente externa. Despertarse en momentos de tensión emocional extrema es algo que ocurre a menudo en los sueños. Sea cual sea la emoción que produzca el sueño, tenemos que prestar atención al sentimiento que suscita —enojo, tristeza, ansiedad, culpa o incluso éxtasis— porque nuestra respuesta indica que esa emoción nos resulta difícil de soportar. Si nos resistimos al sentimiento, se bloquea nuestra energía vital, la presión se intensifica hasta abrirse camino en una poderosa ola de emoción presagiada por la imaginería onírica. A fin de evitar la confrontación con ese difícil sentimiento, lo habitual es que nos despertemos, tal como ocurre en el curso del siguiente sueño que me comunicó Mark, un hombre de mediana edad:

> Me encuentro de pie frente a una oscura y ominosa pared de roca granítica de altura vertiginosa. Masas de agua invisibles se acumulan tras la roca; la fuerza del agua amenaza con quebrar la pared de roca por la mitad. Gente de la que me siento responsable se ha reunido en pasadizos tallados dentro del acantilado. Agito mis brazos y grito en un intento desesperado por guiarlos hasta una distancia segura, porque sé que la roca cederá y las aguas los tragarán a todos. Justo en ese momento despierto con el corazón desbocado.

Un sueño inacabado como este reclama que despertemos a nuestro estado interior. Nos da señales para reconocer nuestros sentimientos profundos y encontrar, así, el equilibrio emocional. Con la ayuda de un terapeuta de sueño, podemos volver a entrar en el sueño imaginativamente en estado de vigilia y embarcarnos en un «sueño despierto», para explorar asociaciones y permitir que el sueño se interprete a sí mismo.[2] Te invito a explorar esta experiencia onírica, como lo hizo Mark bajo mi orientación.

Al igual que la pared de roca del sueño, las formas que se derrumban o se disuelven, en particular aquellas asociadas con la permanencia, producen enorme malestar emocional si vinculamos su impacto con pérdidas personales, vulnerabilidad extrema o muerte física.[3] Cuando abordamos estos sueños terapéuticamente, los sentimientos intensos dirigen nuestra atención a lo que se necesita reacomodar en nuestras vidas y apuntan a la energía transformadora de vida que puede liberarse cuando nosotros lo hacemos. Cuanto más poderosa sea la fuerza natural representada —inundaciones, avalanchas, maremotos, grandes incendios o vientos—, más energía vital en potencia puede contener. La manera en que aprovechemos y transformemos esa energía es nuestro desafío.

En este caso, Mark asoció la pared de roca con su temor a sentimientos que podían desbordarlo y dejarlo a él y a los suyos en una situación de vulnerabilidad. Desde una perspectiva psicodinámica, la roca puede simbolizar una defensa contra el fluir natural de sentimientos que, si son admitidos, también podrían traer consigo un influjo creativo de energías vitales. Mark acababa de conocer a una mujer hacia la que se sentía atraído, aunque se resistía a ello. Si la pared de roca del sueño pudiese hablar, muy probablemente le diría: «Deja que tu corazón se abra al influjo del amor. No tienes que temer». La presencia de «aguas vivas» a punto de quebrar la piedra sugiere un profundo cambio interior que ya estaba en curso, suavizando la disposición de su corazón. Este sueño proclama la máxima alquímica «no lleves a cabo operación alguna hasta que todo se convierta en agua».[4]

Jung se basó en las enseñanzas de los alquimistas medievales para explorar los procesos alquímicos que reflejaban el poder transformador de la imaginería onírica. Los alquimistas estaban fascinados por la formación del hierro, el oro y los diamantes dentro de la piedra. Al transformar, por calentamiento, metales comunes de un estado sólido a uno líquido, intentaban ayudar a la naturaleza acelerando sus procesos naturales de transformación. La liberaban así de su aspecto vulgar, dejando paso a un estado espiritual más sutil. En su espiritualización de la materia, los alquimistas creían poder llevar a cabo una transformación similar en ellos mismos.[5] Sus operaciones aspiraban a espiritualizar la materia y a materializar el espíritu. Mientras trabajaban para perfeccionar la naturaleza de esta manera, completaban en ellos mismos el *Magnum Opus*, la Gran Obra alquímica. Si bien este empeño parece arcaico para la mentalidad actual, desde la perspectiva de la física moderna puede encontrarse reflejado en las palabras del físico británico sir James Jeans, quien comparó la creación del universo a «la materialización del pensamiento».[6]

Como en el modelo alquímico propuesto por Jung, seguimos un camino similar cuando trabajamos con el contenido emocional de nuestros sueños. Según este modelo, la disolución de viejas estructuras del ego representa un estadio reconocible de nuestra transformación interior —un *oscurecimiento*, en términos alquímicos—, cuando nuestros complejos y condicionamientos mentales, nuestras identificaciones rígidas y nuestras posturas defensivas ya no nos sirven. Este oscurecimiento incluye el trayecto transpersonal de la «ruptura para el avance». El alquimista del siglo XVI Gerhard Dorn presenta una idea semejante cuando declara: «A partir piedras muertas, transfórmate en piedras filosofales vivas».[7] Esto implica abrirnos a una comprensión más profunda de nuestra naturaleza esencial.

En cuanto al desarrollo, los acontecimientos de la vida que obligan a nuestro corazón a crecer —aun dolorosamente—, terminan creando fines positivos porque incrementan nuestra capacidad para sentir con profundidad y enfrentar nuestros temores. Lo que percibimos como una crisis devastadora —una grieta en la roca, como en el sueño— encierra una oportunidad para el crecimiento interior y un cambio de vida creativo, que requiere que desarrollemos cualidades y habilidades que han permanecido latentes, de manera que podamos elaborar la crisis y reconstruir nuestras vidas.

Hasta los cambios que podemos considerar positivos, como tener un hijo o enamorarse, pueden sacudir las habituales identificaciones de nuestro yo. Para el ego, estos cambios, que requieren la «muerte» de una forma de pensar, pueden sentirse como una amenaza vital, y es normal que así sea. Pero debemos recordar que cada una de estas «muertes» trae nueva vida, una «resurrección». El historiador de las religiones Mircea Eliade explica:

> Cada «muerte» es a la vez una reintegración a la noche cósmica y al caos precosmológico... la oscuridad expresa la disolución de las formas, el regreso al estado seminal de la existencia. La muerte iniciática y la oscuridad mística poseen por ello una significación cosmológica; significan la reintegración al «estado primigenio», el estado germinal de la materia, y la «resurrección» corresponde a la creación cósmica.[8]

De acuerdo con la respuesta a este proceso, Jung notó que el grado de temor o la intensidad del sentimiento presentes indican la proporción de energía o esfuerzo requerido para cambiar nuestra actitud consciente y así producir un verdadero cambio de vida.[9] Un terapeuta junguiano vería en la oscura pared de roca del sueño la representación de lo que Jung llama «la sombra»,[10] un repositorio de todos los sentimientos y pensamientos dolorosos que suprimimos de la conciencia. Allí, fuera del ámbito de nuestra percepción consciente, se endurecen como piedra. Luego puede aparecer un sueño que diga, como el profeta Ezequiel, «te daré un corazón nuevo y pondré en ti un nuevo espíritu; te quitaré tu corazón de piedra y te daré un corazón de carne».[11]

El simple acto de reconocer nuestros temores disuelve sorprendentemente su poder. Este reconocimiento es el primer paso para la transformación. En el caso de Mark, le permitió ver que un abrumador sentido de la responsabilidad superaba su capacidad de permitirse otros sentimientos que, al igual que el agua invisible, sentía como amenaza. La roca a punto de ceder en este sueño presenta un desafío común para todos: el riesgo de renunciar a nuestro seguro estilo de vida cotidiano, a nuestros rutinarios y condicionados comportamientos para que aflore con naturalidad una nueva manera de vivir.

La pared de roca no solo le habla a la psicología personal de Mark, sino también a un misterio universal. Mark describe la roca como oscura y ominosa. El adjetivo *ominoso* proviene de la palabra *omen*, que significa un presagio bueno o malo. El peñasco nos habla de un misterio tremendo, inescrutable, más grande que el propio Mark; una realidad definitiva de la que sin embargo él forma parte. Como el basalto en los monumentos neolíticos, la pared de roca asume el poder de un *numen*, el espíritu de un lugar, una presencia absoluta. Como tal, presentaba una cualidad *numinosa*. De acuerdo con Jung, los encuentros oníricos con presencias numinosas pueden experimentarse como una derrota del yo, en particular cuando los consideramos malos presagios.[12]

Una enseñanza de Hazrat Inayat Khan, el fundador del sufismo occidental, nos dice: «destroza tus ideales en la roca de la verdad». No tenemos que renunciar a nuestros ideales; solo necesitamos estar menos poseídos por ellos, de modo que no nos alejen de nuestra humanidad. «Lo que cierra el corazón», observa Khan sabiamente, «es el temor, la confusión, la depresión, el rencor, el desaliento, la decepción y la conciencia afligida; y cuando todo eso se hace a un lado, las puertas del corazón se abren».[13]

Si nos concentramos en nuestra «derrota» —la confusión, la vergüenza, el enojo o la culpa que podemos sentir cuando nos acercamos a lo numinoso—, podemos olvidar fácilmente que lo numinoso está allí para recordarnos las cualidades contra las que nos hemos endurecido. Estamos divorciados de la naturaleza y encerrados en un mundo incierto que busca verdades y certeza. Perdemos de vista nuestro sentido del misterio, así como las ganas de jugar, la ternura y la amorosa bondad que es la verdadera naturaleza de nuestra alma. Olvidamos lo que hace cantar al corazón.[14] Cuando le pedí que dejara de lado sus temores y recordara lo que asociaba con la pared de roca, Mark se remontó a su infancia, a las vacaciones de verano con su familia, en las que chapoteaba feliz en los estanques de roca al pie de los acantilados circundantes. Estos recuerdos lo pusieron en contacto con un espíritu más ligero y despreocupado.

A través de nuestro trabajo de sueño, Mark comprendió que el sueño que inicialmente lo había asustado en realidad lo llamaba a abrirse de manera radical a sentimientos más lúdicos y alegres, necesarios para la siguiente fase de su vida: una nueva relación basada en la confianza, la apertura y el amor. Lejos de tratarse de un mal presagio, su sueño numinoso transmitía algo bueno. «La verdadera terapia», señaló Jung, «es el acercamiento a lo numinoso», y en la medida que alcanzamos la experiencia de lo numinoso nos liberamos de «la maldición de la patología».[15]

Como la roca, la piedra sin tallar puede parecer estática pero, tras ser modelada por fuerzas poderosas, atesora una buena cantidad de energía. Los tipos más comunes de piedra, formados de las rocas ígneas, están asociados con el fuego, según lo revela la raíz latina *ignis*. Las rocas ígneas surgen del magma derretido que se enfría en lo profundo de la tierra a lo largo de miles de años (formando granitos de cuarzo y feldespato) o sobre la superficie de la tierra, donde el magma se enfría más rápido (y produce la piedra pómez, el basalto y la obsidiana). Al igual que las piedras, también nosotros estamos hechos de poderosas fuerzas que comenzaron mucho antes de nuestro nacimiento y continuarán más allá de este. Cuando entramos en la energía emocional que nos reserva una piedra, liberamos esa energía psíquica para volver a encender nuestras vidas.

La solidez y estabilidad de la piedra la convierte en símbolo de la naturaleza perdurable de nuestro Ser interior: el Yo. La piedra evoca el «movimiento en el reposo»,[16] una cualidad en la que se han deleitado los escultores a lo largo de los siglos. Pero cuando nos ponemos muy rígidos en nuestras posturas y hábitos, las piedras pueden reflejar que nos hemos vuelto inflexibles y obstinados. Aun así, nuestras posturas más rígidas siguen estando sometidas al trabajo del tiempo y a los elementos de la vida cotidiana, tal como la temperatura psíquica y las presiones de nuestras vidas y sueños nos moldean a cada uno de maneras distintas, formando un núcleo de fuerza: la *lapis philosophorum* o piedra filosofal, alguna vez buscada por los alquimistas.

Los alquimistas consideraban que cada individuo era un microcosmos, un mundo en miniatura. De manera enigmática aconsejaban: «explora las cosas interiores de la Tierra y por destilación encontrarás la piedra oculta».[17] Los sueños están hechos con esas «cosas interiores», y trabajar con ellos produce una síntesis que nos permite conocernos mejor: la «piedra filosofal». Por esta razón,

Jung decía del sueño que «si lo llevamos con nosotros y le damos la vuelta una y otra vez, casi siempre surgirá algo de él».[18] Este «algo» nos revela las aspiraciones del inconsciente, y pone así nuestras vidas de nuevo en movimiento. Uno de mis sueños habla de manera directa del misterio de la escurridiza piedra:

> Con sorpresa, me encuentro conduciendo un taxi negro, de los que circulan por Londres, a través de un camino de tierra en el desierto. El camino es bastante desafiante, y pienso lo bien que me han venido los años de práctica fuera de las carreteras. El paisaje tiene una aspereza similar a la de las tierras yermas del desierto de Anza-Borrego en California, y siento lo mucho que he echado de menos estas vistas de mi infancia. Después de cruzar el desierto, atravieso un pasaje tallado en una enorme roca de cuarzo rosado. En el sueño me desconcierta comprobar que la roca tiene forma de corazón. Conducir a través del estrecho pasaje requiere toda mi concentración. No estoy segura de cómo lograré escabullirme. Puedo ver que más allá de la entrada de cuarzo el paisaje se convierte en un verde y exuberante valle, y pienso: «Sí, esto es lo que necesito». La belleza del verde, abierto y ligero, me habla de una renovación espiritual...

Trabajando asociativamente con el sueño, recordé un pequeño cuarzo rosado que mi hermano mayor me dio antes de abandonar la casa familiar. Yo tenía apenas once años y estaba descorazonada por su partida. He conservado la piedra todos estos años, y ahora forma parte de un pequeño jardín zen. Me recuerda la capacidad del corazón para amar. Esta evocación proporcionaba un sentido suplementario al sueño. El sueño me mostró lo que estaba faltando y necesitaba ser repuesto.

Al volver a visitar el sueño con mi guía, rastreamos el recorrido del taxi a lo largo de mi cuerpo, comenzando por la cabeza, llena de pensamientos resecos, áridos, y de estrategias para lidiar con el terreno áspero de la vida. Una vez que he logrado pasar entre las rocas, mi corazón da lugar a una cualidad del ser más espaciosa, retratada por el verdor del paisaje.[19] El analista junguiano Robert Johnson explica que el verbo *tratar*, en su acepción latina de «tirar o jalar», proviene de una antigua práctica curativa en la que el sanador realmente arrastraba a una persona a través de agujeros cada vez más pequeños cavados en una serie de rocas.[20] Del mismo modo, el sueño tiraba de mí a través del espacio estrecho de la roca hacia un lugar de renacimiento.

El cuarzo también me hablaba de transformaciones evolutivas. Entre los dieciséis y los veintidós años hice cuatro veces senderismo por el Gran Cañón junto a mi padre. El tiempo cavó por más de seis millones de años el cañón. En el proceso, creó una imponente obra abstracta con base en la realidad geológica. Arenisca, caliza, lutita y granito constituyen las paredes del cañón. Los sedimentos cuentan historias de agua y viento tallando durante horas en la tierra, en la que la majestuosa repetición de formas crea un extraño sentimiento de intimidad cuando descubres que las yemas de tus dedos y la superficie de la tierra comparten una misma huella.

De manera similar, los sueños dejan una historia sedimentada en nuestra psiquis. Desde una perspectiva evolutiva, el contenido de nuestros sueños puede considerarse parte de un «mecanismo evolucionado» por medio del cual producimos nuevos recuerdos.[21] Si llevas un registro de tus sueños, notarás que las imágenes y los temas se repiten. La manera en que estas repeticiones difieren en el tiempo tiene gran significación.

A los veinte años, por ejemplo, soñé con una fotografía del parque nacional Yosemite, un valle imponente formado por glaciares que erosionaron la tierra más blanda en torno a gigantescas formaciones de rocas ígneas y esculpieron el profundo valle que ahora se puede contemplar desde los escarpados picos del Half Dome y El Capitán. Las expresivas grietas del valle traen a la mente las palabras de Jalil Gibrán: «Cuanto más profundo el dolor cava en tu ser, más alegría puedes contener».[22] En el sueño, me sentía tan atraída por el paisaje que creí atravesar la foto para enfrentarme a otra obra de arte, esta vez una pintura...

> Una ninfa submarina de diáfana blancura nada en aguas azul-verdosas. Lleva una piedra blanca. Ella y yo nadamos juntas en un mar iluminado de azul y verde. La piedra blanca tiene un nombre grabado y el nombre parece ser para mí. El nombre me viene intuitivamente, pero parece demasiado asombroso y extraño para que me esté destinado. No puedo aceptarla.

Más de veinte años después, volví a soñar con la piedra blanca.

> Voy y vengo entre dos edificios, irritada y confundida, sin tener claro mi propósito. En el espacio que hay entre ambos veo al pasar una pequeña piedra blanca y una pluma de halcón. Estos objetos me llaman la atención, pero tengo prisa, de modo que sigo adelante. Al hacerlo, me doy cuenta de

> que, enfrascada en mis pensamientos, he pasado de largo estos dos objetos pequeños, tan delicados y fuera de lugar, y que del mismo modo he dejado pasar la clave del sueño. Lamentablemente, en ese momento despierto.

Cuando volví a entrar lúcidamente en este sueño junto a mi guía, me visualicé recogiendo la piedra blanca. Al hacerlo, sentí algo muy secreto y misterioso en ella, como si contuviera el espacio entero. Me comunicaba pureza y perdón. La piedra me decía: «una rosa no conoce la vergüenza». Para mí, se trataba de un mensaje importante: que la vergüenza no es un estado natural, sino algo impuesto, un condicionamiento social que adquirimos en la infancia y que arrastramos el resto de nuestras vidas.

Si bien estamos familiarizados con las fuerzas evolutivas presentes en una piedra, puede sorprendernos que ciertos minerales encontrados en las rocas produzcan otra forma de energía: la luz. Bajo luz ultravioleta, contra un fondo oscuro, racimos de humildes minerales anodinos como la fluorita, la opalita y la calcita se transforman en incandescentes vitrales azul profundo, verde esmeralda y carmesí. Recuerdo haberme sentido hipnotizada por semejante belleza cuando mi hermano adolescente me enseñaba sus muestras minerales y bañaba las piedras en luz ultravioleta, para transportarnos a un misterioso y bello mundo de oscura luminosidad.

Los colores dejan su tintura en nuestros corazones. Son los colores que conjuramos para levantar el ánimo. Mi hermano explicaba que la luz ultravioleta hace que los electrones presentes en estos minerales salten a un estadio más alto y luego emitan su exceso de energía como fotones de luz en distinta longitud de onda, que se percibe como un color brillante. Fue bueno enterarme de la parte científica, pero mejor resultó la magia de descubrir que algo que consideramos común puede atraparnos en su oculta belleza cuando lo miramos bajo otra luz.

Las rocas y las piedras de los sueños pueden conectarnos con el tiempo, el espacio y la eternidad. No es casual que, de acuerdo con el relato bíblico, el sueño de Jacob sobre una escalera al cielo haya comenzado cuando él se detuvo para pasar la noche, tomó una piedra y la puso bajo su cabeza para dormir. Soñó con una luminosa escalera por la que los ángeles descendían a la tierra y se elevaban hacia Dios. Cuando Jacob despertó de este sueño, dijo: «¡Qué asombroso es este sitio! No es sino la casa de Dios; esta es la puerta del cielo».[23] Sintió que Dios lo cuidaría y que había recibido el poder para enfrentar lo desconocido. Para dejar constancia de su sueño, Jacob tomó la piedra sobre la que había dormido, la dejó erguida y derramó sobre ella aceite para santificarla. El aceite significaba bendición y sacrificio, a causa del tiempo y el esfuerzo que requería hacer crecer el olivo y producir el aceite. La almohada de piedra de Jacob nos recuerda que los antiguos mitos representaban tanto a humanos como a dioses nacidos de la piedra.[24] De hecho, pasamos nuestra vida sobre esa «piedra que se mueve velozmente» llamada Tierra.[25]

Tengo una colección de piedras que me recuerdan a mis sueños: una caliza blanca, un cuarzo rosado, una pulida esfera de obsidiana. Un fragmento de granito podría servir para recordarle a Mark la pared de roca de su propio sueño y su deseo subyacente de una relación, así como en la antigua Roma se podía ver un bloque de piedra oscura junto a la estatua de Eros, el dios del amor.[26] Encuentra una roca o piedra que te recuerde alguno de tus sueños. Tócala y escucha lo que tiene para decirte.

5

La luz a través del prisma de los sueños

¡Oh, Luz eterna, que sola en ti resides,
sola te entiendes, y por ti entendida,
entendiéndote, te amas y sonríes![1]

Dante Alighieri

¿Qué clase de luz ilumina nuestros sueños? Imagina el sueño como un prisma a través del cual brille la luz de la conciencia. A través de los sueños puedes observar «los colores de tu mente» expresados en imágenes que manifiestan pensamientos y sentimientos. Al explorar las propiedades de la luz natural, los colores y las sombras, el físico Arthur Zajonc señaló: «cuando la luz cae sobre el ojo produce la vista. Hasta ese momento, la luz vive en un universo propio».[2] Con un lenguaje más poético, el escritor alemán Goethe reflexionó sobre las propiedades de la luz natural y la «luz interior», para concluir que «el ojo está formado por la luz para la luz, de manera que la luz interior pueda encontrarse con la exterior».[3] La «luz interior» ilumina nuestros sueños y nuestro camino en la vida.

Para entender mejor la naturaleza de la luz en los sueños, primero debemos conocer uno de sus atributos clave: que la luz pura es invisible, o «negra», como el espacio.

Si tuvieras que participar en un experimento de física en el que los investigadores te pidieran que mires por una rendija dentro de una caja llena de luz en el vacío, ¿qué verías?

La luz dentro de la caja aparecería como una nada negra, porque para el ojo humano la luz en el vacío es invisible. Sin embargo, si se insertara una varilla de metal por un costado de la caja y se la hiciera girar, los destellos del metal se volverían visibles. Pero la luz misma seguiría siendo invisible. Solo veríamos la varilla iluminada.[4] Del mismo modo, a simple vista, las distancias aparentemente vacías del espacio exterior parecen negras. La luz llena el espacio interestelar, pero solo vemos la luz cuando un objeto como la luna ocupa el espacio y así nos devuelve su reflejo. Para ser visto, el llamado «espectro de luz visible» requiere la interpenetración de la luz con la materia: la luz reflejada es entonces recibida por nuestros ojos.

Lo que nosotros llamamos «luz» solo consiste en una pequeña fracción del espectro electromagnético completo, que abarca un amplio rango de longitud de ondas invisibles a nuestra percepción: ondas de radios, microondas, radiación infrarroja y rayos ultravioleta, rayos X y rayos gamma.

Diversas tecnologías, naturales y creadas, nos permiten utilizar la longitud de onda del campo electromagnético para distintos fines. Las células en nuestro cuerpo y en las plantas, por ejemplo, utilizan la luz para efectuar procesos necesarios para la vida; los paneles solares absorben la luz del sol para generar electricidad; el láser permite a los cirujanos llevar a cabo operaciones de alta precisión; la fibra óptica transmite longitudes de onda como forma de comunicación; los rayos X nos facilitan la visión profunda de la materia; los radares usan ondas de radio para rastrear objetos a distancia; los telescopios infrarrojos permiten a los físicos observar a través del polvo galáctico, revelando galaxias nunca vistas. Los astrofísicos usan el color como código para la materia, lo cual los ayuda a identificar propiedades de estrellas y planetas distantes que podrían albergar vida.

Sin embargo, pese a todos los instrumentos científicos disponibles, solo podemos observar el cinco por ciento de la «materia» que posee el universo, pues el noventa y cinco restante es «materia oscura» y «energía oscura» invisible. Esto ha llevado a la NASA a señalar que la materia que podemos percibir «no debería llamarse en absoluto "materia" normal, pues es apenas una pequeña fracción del universo».[5]

La luz interior de los sueños, en comparación, despliega las ondas *visibles* e *invisibles* del espectro electromagnético. Así como las propiedades espectrales de la luz visible surgen de un continuo de ondas con diferente alcance y función, del mismo modo la luz interior de nuestros sueños también nos permite ampliar la «longitud de onda» de nuestras facultades perceptivas al revelarnos las capacidades de lo que ha sido denominado «mente extendida»,[6] es decir, no limitada por las restricciones normales de tiempo y espacio.[7]

En este sentido, «la materia de la que están hechos los sueños»[8] no solo está compuesta de luz y colores «vistos» en la imaginería onírica, sino también de la mente extendida que abarca los misterios del cosmos. La luz pura en un sueño puede dejar una impresión indeleble, como en este relato del archivo del Centro de Investigación en Experiencias Religiosas Alister Hardy. Un hombre de sesenta años, que se describió como temerario en su juventud, contó una experiencia que tuvo a los veinte, cuando, estando ebrio, chocó con su auto. Tras serle diagnosticada una contusión leve, lo enviaron a su casa a descansar. Allí se quedó dormido y tuvo esta conmovedora experiencia:

> ...Yo era uno con la luz eternamente refulgente, una luz no deslumbrante sino apacible, «como nunca se vio en tierra o mar»; una luz que era también amor y seguridad. Pero no me daba tanto la sensación de estar a salvo como de no tener ya nada que temer. Parecía haber una plenitud en todo y todo seguía sin cesar: no había nacimiento ni muerte, ni comienzo ni final. No había necesidad de ser, porque ese momento era la eternidad, que siempre había sido y siempre sería. No estaba en absoluto solo: me comunicaba con una sabiduría infinita, que no era un individuo sino una entidad; esta sabiduría estaba en mí y fluía a través de mí, pero aun así también estaba fuera de mí. No tenía necesidad de compañía porque yo era, en cierto sentido, compañía. Parecía que yo era parte de una esencia poderosa, de una realidad definitiva, incognoscible, que sabía sería imposible de describir porque ninguna analogía terrestre podría serle aplicada. Esta era la verdad máxima de la que todas las otras realidades no eran sino pobres reflejos.[9]

Al describir lo ocurrido, él insistía en que se trataba de algo más que un sueño, y que «el estado de vigilia, en comparación, era mera ilusión». La experiencia, añadió, había ayudado a reforzar su fe en «la realidad del mundo invisible de los valores espirituales».

Una revelación espiritual como esta no habría sorprendido a los alquimistas medievales, para quienes esta luz interior estaba compuesta por *scintillae* o chispas del principio vital del «alma del mundo», que consideraban afín al Espíritu Santo. A esta luz la llamaban *lumen naturae*, la luz interior de la naturaleza, que imparte sabiduría y que en cada uno de nosotros oficia de «estrella» conductora.[10] El gran alquimista Paracelso nos enseña que la luz de la naturaleza se aprende a través de los sueños.[11]

Así como la luna refleja la luz del sol, del mismo modo la luz de los sueños refleja nuestros estados de conciencia y revela cómo estos influyen en nuestras vidas. El siguiente sueño, que tuve a los cuarenta años, ilumina de qué manera estaba bloqueando mi «luz»:

> Me encuentro en una sala de reuniones, desconcentrada por un intenso rayo circular de luz blanca de unos diez centímetros de diámetro que aparece sobre las paredes y las librerías cada vez que miro. La luz me molesta. Pienso «mi jefe descubrirá que soy demasiado sensible a la luz». Esto me afecta, de modo que me levanto para girar el atenuador de luz y apagarla. Vuelvo a mi asiento, pensando que el problema ha sido resuelto, pero noto que mi jefe tiene una expresión disgustada. De pronto comprendo que eso es lo que hago en estado de vigilia: atenuar la luz que proviene de mí. Entonces despierto.

Cuando comprendí la significación de este sueño, resolví que en el futuro me expresaría y actuaría: ¡una decisión que encendió mi mundo de forma inesperada!

A través de nuestros sueños y del trabajo con ellos, podemos aprender a reconocer procesos de pensamiento autofrustrantes o patrones de vida negativos, capaces de desquiciar literalmente nuestra actividad onírica. Una mujer llamada Ángela tuvo un sueño en donde encontramos una idea análoga. Ella ansiaba ordenar y simplificar su vida, a fin de liberar su creatividad obstaculizada. Trabajé con Ángela durante un par de meses. Según su relato:

> Me encuentro en una habitación atestada con toda clase de objetos y desechos. Las cosas aparecen apiladas en descuidados montones, polvorientos y oxidados, que se extienden al punto de dificultar bastante el movimiento. Se parece a uno de esos cuartos donde los albañiles arrojan sus cosas mientras trabajan en la obra de al lado.
>
> Luego la escena cambia y me encuentro en otra habitación. Una amiga está conmigo. Me vuelvo hacia ella, diciéndole que mi proyecto es llegar a pintar el techo de la Capilla Sixtina en este mismo techo, pero me pregunto si no se verá demasiado llamativo. ¿Qué piensa ella? Mi amiga me asegura que se verá hermoso. En ese preciso instante, ambas miramos hacia arriba y ahí está... el techo de la Capilla Sixtina en toda su gloria y esplendor. Nos deja sin aliento; nos quedamos mirando, en éxtasis.

Al trabajar el sueño conmigo, Ángela vio que la habitación desordenada representaba patrones de pensamiento familiares pero de poca ayuda, porque bloqueaban su creatividad. Ángela sentía que era importante para ella «mirar hacia arriba» para conseguir una perspectiva más amplia de su situación. Una vez superados los temores de que la pintura se viese demasiado llamativa o sobresaliese de forma desagradable, comprendió que la obra de arte irradiaba esplendor. Psicológicamente, este sueño ilumina en qué medida la energía creativa de Ángela se encontraba enredada en un pensamiento negativo, abarrotado, y en el miedo a destacarse. Sin embargo, como llegó a darse cuenta, después de desviar su mirada de los patrones de pensamiento negativos y enfocarla «arriba», pudo salir de la inmovilidad en que se encontraba su vida.

Este tipo de sueños comparte características con el estado de vigilia, borroneando la diferencia entre nuestros sueños y el mundo despierto. En el verano de 1992 me encontraba trabajando en Riga, Letonia. Por aquel tiempo, la mayoría de las iglesias ortodoxas rusas que los soviéticos habían convertido en museos, oficinas o gimnasios se encontraban en reparación. A lo largo del verano, los obreros restauraron meticulosamente la capa dorada de las cúpulas bulbosas que coronaban la catedral ortodoxa de la Natividad, cuya cobertura había sido arrancada y saqueada durante la Segunda Guerra Mundial. Al pasar por allí, un amigo y yo advertimos que los obreros habían dejado la puerta entreabierta, de modo que aprovechamos la oportunidad para entrar. Esperábamos ver el elaborado diseño ortodoxo de la catedral, pero en lugar de un santuario ricamente decorado, nos encontramos encerrados en una oficina de hormigón al estilo soviético.

Me sentí físicamente abrumada; en vez de contemplar lo que debería haber sido una amplia cúpula, solo se divisaba el techo bajo de la oficina. Podía oír a los trabajadores desmantelando el lugar, pero no se los veía. De pronto, un ruido terrible resonó a través del edificio entero cuando una grúa retiró un pesado panel del techo. Con un salto atrás, observé cómo levantaban el panel dejando un espacio a través del cual pude atisbar la cúpula de la iglesia. Forzando la vista a través de la luz polvorienta, conseguí descifrar el diseño abstracto y salpicado de oro de la cúpula, mientras su belleza escondida resplandecía.

Lo que ocurrió aquel día puede considerarse una analogía de lo que pasa en un sueño cuando aprendemos a reconocer las construcciones de la mente condicionada que bloquean nuestra naturaleza esencial. Cuando esto ocurre, los constructos se desploman, se disuelven, son retirados o rasgados de punta a punta, de manera que la realización fundamental de nuestra verdadera naturaleza pueda revelarse y materializarse más plenamente en la vida.

En mi trabajo terapéutico con los sueños descubrí que los sueños negativos o las pesadillas son un velo que oculta la clara luz del mundo interior y nuestra capacidad para sentir emociones profundas y positivas como la alegría y la serenidad. A menudo, en tales sueños las representaciones de la oscuridad llenan al soñador con una sensación de espanto ante lo que percibe como amenaza conocida o desconocida. Pero comprender la relación entre luz absoluta y oscuridad en apariencia absoluta nos sugiere que lo que percibimos como oscuridad invariablemente contiene luz.[12]

Es importante recordar esto cuando nuestro sentido cotidiano de quiénes somos se ve desafiado por la pérdida de un ser querido. En esos momentos, nuestra capacidad humana para encontrar la luz en medio de la oscuridad a menudo sale a relucir en sueños que incluyen percepción extrasensorial, precognición y comunicación telepática con los muertos,[13] facultades todas de la mente extendida. El estudio de tres archivos con testimonios de percepción extrasensorial reveló que un número significativo de casos tiene lugar cuando soñamos.[14] La mayoría de ellos se relacionan con un amigo o familiar cercano que ha muerto o que se lastima o muere en la vida despierta poco tiempo después del sueño.

En mi propia vida onírica he tenido muchas «visitaciones» de mi madre, muerta hace muchos años. Disfruté de la oportunidad de pasar con ella sus últimos tres meses de vida. El siguiente sueño, que tuve un par de meses después de su muerte, dio inicio a mi demorado proceso de duelo, que me permitió llorar por primera vez desde su deceso.

> Estoy de vuelta cerca de la calle donde me crié. Una mujer me invita a una de las casas. Su piel es de un color azul cielo muy luminoso, lo que se me antoja extraño y encantador a la vez. La casa es blanca, pero cuando abrimos la puerta todo allí dentro tiene un matiz azul cielo: las paredes, los objetos, etcétera.
>
> Pasamos a otra habitación donde mi madre descansa sentada en una cama azul, con la manta sobre las piernas. Se la ve radiante y alegre, acompañada por familiares y amigos muertos que rodean la cama y se acumulan en gran número más atrás. Me doy cuenta de que la veo en un mundo más allá de este. Corro hacia ella y apoyo mi cabeza sobre su regazo, exclamando lo mucho que la quiero y cuánto lamento si alguna vez herí sus sentimientos.

> Ella me da palmaditas amorosas y pacientes. Por primera vez desde su muerte, comienzo a llorar y luego despierto. La lloro por varias horas.

Este sueño me dio la oportunidad de decir a mi madre lo que quería y no pude decirle antes de su muerte, dando así inicio a mi proceso de duelo. La visitación me resultó más real que la realidad, al tener lugar en una dimensión trascendente, radiante, ni temporal ni espacial. Eso me dio mucha seguridad.

La muerte de mi padre, por el contrario, ocurrió de repente. Cuando la familia se enteró de que no se encontraba bien, los médicos aún no sabían que tenía cáncer. Por entonces yo trabajaba en Londres y no estaba segura de cuándo viajar a Estados Unidos, pues tenía muchas responsabilidades en el trabajo. Entonces tuve un sueño que me impulsó a irme lo más pronto posible. La noche del sueño dediqué unos momentos a rezar por mi padre.

> En el sueño desciendo por una pronunciada cuesta rocosa. Es una radiante mañana en Sierra Nevada, California. Un hombre que no veo me tiende la mano para ayudarme a bajar. Descubro con sorpresa que es la mano de mi padre. De pronto, la realidad de su presencia me impresiona profundamente. Lo siento cuando su mano toca la mía: la familiaridad de su modo de ser, su carácter. Se sienta en silencio cerca de mí. Todo se muestra tan vívido y real que me vuelvo lúcida. Le digo: «sé que esto es un sueño, pero no quiero que nos separemos». Siento como si realmente estuviera con él, de modo que me quedo y le digo cuánto lo quiero, algo que él sabe, así como yo sé cuánto me quiere.

Se queda en silencio, mirándome con gran concentración y amor. Mientras hablo, comienzo a llorar y despierto del sueño entre lágrimas.

Al despertar, tuve la certeza de que mi padre estaba cerca de la muerte o quizá ya había muerto y que tenía que viajar de inmediato a Estados Unidos. Me fui temprano al día siguiente. Por suerte, logré llegar un par de días antes de su muerte. No podía hablar ni abrir los ojos, pero cuando me senté a su lado la primera noche y le dije que lo amaba, una gruesa lágrima cayó por su mejilla. Era la primera vez que mi padre y yo llorábamos juntos. Me sentí agradecida por estar junto a él cuando, dos noches más tarde, murió.

En cada uno de estos sueños, la luz se manifiesta de manera distinta. En el sueño de mi madre muerta, la luz aparece con la luminosidad radiante de los entornos celestes. En el sueño de mi padre, la luz tiene una claridad e intensidad agudas que aportan lucidez.

Los sueños con gente fallecida y los sueños de precognición nos ayudan a entender que los pensamientos y sentimientos que en ellos se producen pueden ir más allá del mundo cotidiano de la percepción sensorial, hasta alcanzar el dominio infinito de la mente extendida, con su capacidad para sanarnos de hechos pasados y futuros. En estos sueños, la luz interior parece contener información para su poseedor. Una mujer australiana cuyo caso figura en el archivo Alister Hardy compartió sus pensamientos acerca de la revelación de lo que llamó una «luz cósmica».

Si lo has experimentado, no lo olvidas jamás, y cambia tu vida. Pero si hablas de ello, la gente te

> consideraré loca. La he visto ¡y debería agregar que sonríe! ¿Cómo es posible que la luz sonría? Creo que es uno de esos símbolos del inconsciente profundo de los que Jung ha escrito, que completan y cambian la vida de las personas. Y si, como dicen los cuáqueros, «hay algo de Dios en todo hombre», entonces es allí donde probablemente tenga su origen. Quizá la pequeña chispa de divinidad que cada uno posee es como un transformador de energía que adapta el poder divino para que podamos comprenderlo y utilizarlo.[15]

Esta mujer tenía justificadas dudas en compartir lo que le había sucedido. Sin embargo, a lo largo de la historia se han registrado informes similares de fenómenos con luz. Un estudio publicado en 2013 por Annekatrin Puhle analiza más de ochocientos casos de lo que describe como «luz transformadora».[16] De estos, setenta y uno se producen en sueños y veintidós en sueños lúcidos. Treinta y cinco tienen lugar «de noche» y treinta y uno «en la cama».[17] Según esta investigación, los encuentros con luz producen en la gente «consuelo» y «sentido».[18]

El escritor británico J. B. Priestley comparte en su autobiografía el recuerdo poético de un sueño donde la luz se le reveló como «llama de vida». Lo tuvo a los cuarenta y dos años, en una época en que la vida había perdido todo sentido para él. En este sueño, contempla desde una torre innumerables aves de toda clase que cubren el cielo. Pero luego enferman, sus alas se quiebran y mueren de repente. Él comienza a desesperar frente al sinsentido de la eterna repetición de vida y muerte. Pero cuando contempla «una enorme llanura sembrada de plumas» el sueño comienza a cambiar.

> ...A lo largo de este plano, titilando a través de los propios cuerpos, pasaba ahora una especie de llama blanca, temblando, bailando, luego apresurándose; en cuanto la vi, supe que esta llama blanca era la vida misma, la quintaesencia del ser, y entonces, en un estallido de éxtasis, se produjo en mí la convicción de que nada importaba, nada podía importar jamás, porque ninguna otra cosa era real salvo este centelleo titilante y urgente del ser. Ni las aves, ni los hombres ni las criaturas aún sin forma ni color contaban, salvo en la medida en que esta llama de vida viajaba a través de ellos. No dejaba nada a su paso sobre lo que lamentarse. Lo que pensaba como tragedia no era más que vacío o teatro de sombras; ahora todo sentimiento real era atrapado y purificado y danzaba en éxtasis con la blanca llama de la vida...[19]

Priestley señaló que nunca había sentido una felicidad tan profunda como al final de ese sueño, agregando que desde entonces no volvió a ser la misma persona.[20] El sueño se abrió camino a través de su escepticismo, brindándole el perdurable sentimiento de la plenitud de sentido de la vida.

En los sueños podemos conocer que no solo nuestra existencia depende de la luz, sino también que compartimos sus cualidades, tal como comprendí una noche en el siguiente sueño lúcido:

> ...Me veo llevada a lo profundo de un túnel iluminado con luz negra. El movimiento cesa por fin y siento como si mi «cuerpo», en posición fetal, des-

cansara del lado derecho, acurrucado sobre tierra consagrada. El negro me pesa como una gruesa colcha. La postura es de entrega absoluta. Una parte de mí piensa: «supongo que la vida sabe que necesito esto».

Entonces una luz diurna me rodea. La siento como pura luz, pero en cierto modo está llena de formas vitales y contiene el cielo, los árboles, las aves, la tierra y mi ser. La luz posee la musicalidad del agua y el aire. Pienso por un instante que he despertado a un diáfano día de primavera y que debo estar oyendo sonidos del exterior. Pero luego comprendo que la experiencia constituye un despertar real a lo que la luz es verdaderamente, y a todo lo que contiene. Me siento como una manzana en un prado verde, como una creación de la luz. Descanso de este modo en el espacio lúcido hasta que el reloj me despierta.

En los capítulos que siguen, a medida que exploremos los efectos prismáticos entre luz, color y oscuridad en los sueños, continuaremos descubriendo que cuando trabajamos sobre los complejos psicológicos que confunden nuestras existencias, tanto nuestra vida onírica como nuestra vida despierta se vuelven más lúcidas.

Cuando somos conscientes de que la luz interior de los sueños nos aporta una intuición y una lucidez más profunda, podemos apreciar mejor el poder sanador de nuestros sueños. Las palabras del poeta persa Hafiz pueden alentarnos:

Me gustaría mostrarte
en tu soledad o en tu tiniebla
la luz extraordinaria
de tu propio ser.[21]

6

El misterio y la magia del color: un estudio en azul

«¡Allí está!», exclamó. «Por fin lo he encontrado. Este es el verdadero azul. Oh, qué ligera me siento. Oh, es fresco como una brisa, profundo como un gran secreto, y rebosante como no sabría explicar.»[1]

Isak Dinesen

El 24 de diciembre de 1968 la población de la Tierra recibió un hermoso regalo: su primera imagen de alta resolución, en color, desde la luna. La versión final de la fotografía da la impresión de que nosotros, los que miramos, estuviésemos en la luna contemplando la tierra elevarse sobre la línea de horizonte vacía. A través de esta foto, la «salida de la Tierra», el globo azul de nuestro planeta recortado contra la yerma blancura de la luna y el espacio negro, quedó grabada en nuestra conciencia colectiva. La imagen nos enfrentó a la emotiva constatación de que el cielo azul, en apariencia ilimitado e infinito cuando lo vemos desde la Tierra, resulta ser un delicado y diáfano anillo de biosfera que protege y alimenta la vida en nuestro planeta.

El objetivo que la tripulación del *Apolo 8* se había fijado era ser los primeros astronautas en completar una órbita lunar. Sacar fotos de la Tierra no figuraba en el protocolo oficial de la misión (otros astronautas habían estado a punto de morir al distraerse con las vistas estelares desde el espacio). Pero a medida que el *Apolo 8* completaba su cuarta órbita alrededor de la luna, los astronautas, caminando fuera de la nave, no pudieron dejar de notar la sorprendente salida de la Tierra.

Uno de ellos, Bill Anders, cargó a toda prisa su cámara con una película en color. Su capitán señaló en broma que tomar fotos de la Tierra no estaba programado. Aun así, Anders, que se definía como un experimentado piloto de guerra sin grandes conocimientos de fotografía, tomó docenas de fotos con la convicción de que alguna saldría bien. Una de ellas llevó nuestra comprensión de la Tierra a un nivel superior. Nos dio una nueva imagen gestáltica del planeta como un sistema holístico dinámico, aunque frágil; complejo en su diversidad, singular en su unidad, único en su belleza. Una presencia viva y llena de color en el cosmos.

Vista desde el espacio como en un sueño, la Tierra misma se convierte en un símbolo vivo que respira, un arquetipo en el pleno sentido de la palabra, que se nos impone con su fuerte presencia y que nos imparte una profunda cualidad de Ser.[2] Podemos entender que Anders, al ver por primera vez la salida de la tierra, haya exclamado: «¡Dios mío! Miren esa imagen. La Tierra está saliendo. Eso sí que es hermoso». Nuestra respuesta a la realidad de la «salida de la tierra» nos proporciona una comprensión más visceral de lo que Jung quería decir cuando definió las imágenes arquetípicas como aquellas que «apuntan a realidades que trascienden la conciencia».[3] Jung creía, significativamente, que los arquetipos «poseen espontaneidad y propósito, o alguna clase de conciencia y libre albedrío».[4] Por lo tanto, el contacto con la poderosa energía de los arquetipos puede transformarnos.

Un ejemplo de encuentro arquetípico con la Tierra, de carácter sanador, puede encontrarse en el archivo Alister Hardy. Una mujer que venía contemplando la posibilidad del suicidio comparte cómo, antes de quedarse dormida, llamó a Dios pidiéndole ayuda.

> Luego soñé que viajaba a través del espacio —la tierra rotaba sobre su eje delante de mí— rodeada de estrellas. La sensación que me produjo el sueño fue de la más maravillosa paz, y cuando desperté me sentía reanimada tanto física como mentalmente, y mis problemas quedaron bajo una perspectiva diferente.[5]

La visión de la Tierra desde el espacio le dio una metaperspectiva, un punto de vista más sereno, protector de la vida, que la ayudó a ver sus problemas bajo una nueva luz.

La ciencia nos enseña que la gravedad ha configurado la Tierra como una esfera que rota suspendida (o enclavada) en el espacio-tiempo. Frente a este hecho sobrecogedor, no dejamos de maravillarnos ante la belleza misteriosa y como de ensueño de la Tierra. El escritor Richard Bach, en su libro *Ilusiones: las aventuras de un mesías reticente*, habla de este misterio: «El mundo es un sueño, dices, y es encantador, a veces. Atardecer. Nubes. Cielo. No. La imagen es un sueño. La belleza es real. ¿Puedes ver la diferencia?».[6]

Una vez tuve un sueño que ilustra parte de lo mismo:

> Me encuentro en el espacio, contemplando la Tierra, rodeada por una vasta expansión de oscuridad y luego por un anillo de estrellas. La Tierra tiene el aspecto de una resplandeciente gema azul, y puedo ver que su gravedad tuerce el espacio-tiempo. Pero

> luego se sale de quicio y flota hacia arriba en dirección a mí como una gran pelota inflable. Siento preocupación por el planeta, aunque al mismo tiempo me doy cuenta de lo graciosa que es la escena. Al estirar mis manos para «atrapar» la Tierra, me doy cuenta de que sueño...

Cuando despierto, comprendo que los hermosos paisajes naturales tan queridos para mí —los desiertos, el campo, las montañas y la costa— engendran vida amorosamente. Desde una perspectiva cosmológica, el sueño también me muestra gráficamente que la aparente solidez de la Tierra es tan efímera como los sueños y que la vida que la Tierra contiene es frágil. Saber esto me hace sollozar, como si se tratara al mismo tiempo de una ganancia y una pérdida tremendas.

Compartir este sueño me recuerda ahora una escena de la sátira política de Charlie Chaplin *El gran dictador*, que se proyectó en 1940, durante la Segunda Guerra Mundial. En la película, el dictador al que da vida Chaplin fantasea con el dominio mundial mientras baila con un desmesurado globo inflable que representa al mundo. La escena termina con un estruendo cuando inesperadamente el globo revienta y se desinfla, dejando al «gran» dictador entre lágrimas. La yuxtaposición de ambas escenas realza la diferencia entre el poder del amor y el amor al poder. El primero crea el mundo, el segundo lo destruye.

Vista desde el espacio, la «salida de la Tierra»[7] brilla con un azul traslúcido, que irradia una luz seis veces más fuerte que la de la plateada luna. El matiz iridiscente que refleja nos brinda la sensación de que el color, compuesto por ondas de luz, puede servir de arquetipo del Ser. Como me explicó un profesor que he tenido, «no importa tanto lo que hagamos con los colores, sino lo que los colores hacen con nosotros».[8] A diferencia del inolvidable azul de la Tierra, los colores en los sueños (y en la vida), a menudo aparecen «disfrazados» en la imaginería que visten y por lo tanto tienden a pasar inadvertidos.

Durante el trabajo de sueño, ocurre a menudo que la gente solloza cuando vuelve a encontrarse con un color como si fuera la primera vez. He trabajado con un joven, Adam, que había tenido lo que consideraba un sueño insignificante. Cuando reimaginó la escena del sueño, un dormitorio, le llamó la atención un detalle que había desestimado previamente: un par de calcetines azules. Como su guía de sueño, lo invité a imaginarse que se ponía los calcetines, concentrándose en el azul. Al hacerlo, asoció los calcetines con la Tierra y su color azul con el Espíritu. Al instante, sintió un estallido de energía en la base de la columna vertebral. A fin de calmar esta poderosa energía, le pedí que imaginase el azul desplazándose hacia la región del sacro, o hasta los pies, y luego de nuevo hacia arriba. Gracias al efecto armónico del azul, Adam sintió su espina dorsal fortalecida con una vitalidad novedosa y un sentido de finalidad que lo conmovieron profundamente. Tal como descubrió, cuando en sueños un color aparece en la ropa, puede que refleje una cualidad nuestra que necesita ser reconocida y «usada» como una prenda de vestir en la vida despierta. En un sentido similar, el poeta John J. Brugaletta imagina que si un día todos en el mundo usásemos diferentes matices de azul —cerúleo, zafiro, aciano, celeste—, al día siguiente se produciría una súbita transformación. Atravesada por un nuevo espíritu de maravilla y empatía, en lugar de comenzar las frases con «yo», la gente las comenzaría con «tú».[9]

Mucha gente afirma no soñar en colores. Pero cuando los investigadores despiertan a los participantes en un laboratorio durante la fase REM, la gente recuerda tanto sus sueños como los colores que aparecen en ellos con más facilidad y claridad.[10] Aun así, cuando la gente cuenta un sueño no suele mencionar los colores a menos que le pregunten. Quizá no tomamos nota de los colores porque, como señaló Ludwig Wittgenstein en sus *Investigaciones filosóficas*, «el aspecto de las cosas que son más importantes para nosotros está oculto a causa de su sencillez y su familiaridad».[11]

Wittgenstein se ocupó de la naturaleza del color en su tratado *Observaciones sobre los colores*. Allí se pregunta: «¿Podemos imaginar a alguien que tenga otra geometría de color que la que tenemos nosotros?».[12] ¿Cómo ve y experimenta el color una persona daltónica?, se pregunta Wittgenstein. Normalmente, los tres conos sensores de color en nuestros ojos procesan ondas de luz del rojo, el verde y el azul para crear una paleta de colores marcadamente diferenciados. Cuando estos fotorreceptores interfieren entre sí se produce el daltonismo o ceguera al color. La mayoría de los daltónicos ven, de hecho, algún color. No obstante, y según el tipo de daltonismo, ciertos colores aparecen desvaídos. Quienes padecen daltonismo rojo y verde, por ejemplo, pueden ver estos colores atenuados por una película gris rosada.

Imaginemos a un niño que usa gafas de juguete con lentes rojas. Quizá tú, como yo, fuiste alguna vez ese niño. Si es así, habrás notado que el filtro rojo atenúa los demás colores y da a los objetos un toque espectral de gris rosado. Los colores recuperan su vida con un estallido cuando nos quitamos las gafas. Ahora imaginemos lo opuesto: ¿cómo habría sido tener ceguera congénita al rojo y al verde y ponerse unas gafas que nos permitiesen ver los colores en sus ondas correctas? De hecho, esas gafas correctivas existen.[13]

Cuando un daltónico se las pone por primera vez, responde con profunda emoción: un hombre en sus cincuenta años sollozó ante la claridad de los colores al recibir ese regalo. Otro se quedó azorado contemplando el cielo y los árboles, llorando con desconfianza ante el hermoso contraste entre el verde y el azul. Cuando somos testigos de tan poderosas expresiones de sentimiento, se nos recuerda la maravilla de los colores.[14]

Las investigaciones de Wittgenstein sobre los colores, que incluyen conversaciones con daltónicos, lo llevaron a la siguiente conclusión: «Lo que *se ve* luminoso no se ve gris. Todo lo gris *se ve* como si estuviera iluminado».[15] Los colores claros parecen estar iluminados desde dentro, los tonos grisáceos (como los del crepúsculo) se ven como carentes de iluminación interior. El cielo azul de un día de primavera irradia vitalidad en contraste con el más melancólico azul-gris. Un contraste similar puede verse en las imágenes tomadas por satélites en órbita: el vívido azul de la saludable biosfera de la Tierra aparece ensuciado con turbias manchas grises encima de las ciudades con atmósfera severamente contaminada. Cuando nosotros (y la Tierra) estamos física y emocionalmente sanos, brillamos con la luz de la Inteligencia y la Imaginación que somos capaces de irradiar.

Los sueños no solo revelan tonalidades emocionales del color, sino que además desvelan los colores en su estado «puro», liberados de la forma. Con el ojo de tu mente puedes visualizar una infinita expansión de azul e intuir la impresión que estos colores dejan en ti.[16] En la vida cotidiana, el color azul aparece en la forma que lo contiene: una flor, una piscina o incluso la vasta extensión de mar. Pero en los sueños podemos aprehender directamente cómo nuestra percepción suprasensorial de los colores puros conmueve hasta nuestra propia alma, como en este sueño que he tenido:

> Voy en bicicleta por una conocida calle de Londres en las primeras, oscuras horas de la madrugada. Acaba de caer una ligera nieve que se está derritiendo. La noche profunda da lugar a un amanecer azul tan hermoso que quiero bajarme de la bicicleta, arrodillarme y gritar de felicidad ante tanta belleza. Gracias a la belleza y al sentimiento, me vuelvo lúcida en el sueño...

Años más tarde tuve un sueño en el que el azul asumía una brillantez e intensidad adicionales, reflejando la luz pura del Ser ilimitado, sin referencia a forma u objeto fuera de él, ni siquiera al cielo:

> Discuto con alguien acerca de cuál de nosotros está más solo en este mundo. «He dejado mi país, mi familia», argumento, «mi madre y mi querida tía han muerto, y mi padre [en su demencia] apenas me conoce». Luego veo a mi madre, que mueve la cabeza como si dijera: «No estás sola». Al darme cuenta de que en realidad ella está muerta en la vida despierta, me vuelvo lúcida.
>
> Siento que mi alma es transportada por un largo trecho en una deslumbrante oscuridad. Repito un nombre sagrado hasta que un cegador espacio azul oscuro se abre como un vasto campo de luz delante de mí. Siento que la extensión azul contiene toda la creación. El azul me abruma y, poniendo «de rodillas» mi ser, exclamo: «Perdóname, Dios, por cada

vez que he olvidado el azul de tu aliento». Digo esto movida por un profundo sentido de gratitud hacia toda la belleza y maravilla que no he sabido apreciar en su totalidad. Luego veo lo que parecen ser brillantes nubes blancas dibujando una circunferencia encima de mí. Esto da lugar de nuevo a la oscuridad, a través de la cual soy transportada por el viento hasta que despierto y pienso en la frase de un maestro sufí: «El único pecado es olvidar a Dios en la respiración».

En ambos sueños el color azul irradia una alegría y una belleza que habitan en el núcleo de la vida. Siento la realidad del amor universal con libertad y sin enjuiciamiento. El azul responde a un profundo anhelo que hay en mí, un deseo de sentir la plena presencia de la vida misma. En la época en que tuve este sueño, sentía que estaba perdiendo la inocencia del corazón. Mi inmersión en el azul confirmó para mí la pureza esencial del alma. El desafío que se me planteaba era confiar y vivir de acuerdo con la cualidad espiritual de aquel intenso azul. En palabras de William Blake:

> ...y se nos concede en tierra una parcela
> donde aprender a tolerar los rayos del amor...[17]

Al hablar de los colores en los sueños, el místico sufí del siglo XII Ibn Arabi razona que cuando «el hombre de conocimiento» se pierde en la nada, «Dios le concede una existencia a partir de Su propia existencia y lo pinta con el color divino».[18] Los alquimistas se refieren a ese «teñido» como la «tintura celestial».[19]

Desde una perspectiva espiritual, los colores luminosos señalan en los sueños la presencia del espíritu, que se filtra a través del material onírico como si el sueño fuese el vidrio coloreado de una ventana aclarada por la luz. Sabemos que la luz se difunde en distintos colores cuando brilla a través de un vitral a causa de las propiedades del vidrio coloreado, pero la luz en sí permanece incolora, pura en su esencia.[20] Así, según la explicación del estudioso del sufismo William Chittick, «las imágenes oníricas son percibidas bajo formas sensoriales, aunque están animadas por una autoconciencia informe».[21] Al mismo tiempo, la luz coloreada de nuestros sueños nos llena a tal punto, que luego podemos llevar los atributos de los colores que hemos experimentado a nuestro estado de vigilia. Esta plenitud enciende una luz que nos ayuda a conservar las esperanzas y a estar atentos a las posibilidades aun en momentos de pérdida. Para transmitir esta renovación de la esperanza, la psiquiatra Elisabeth Kübler-Ross, conocida por su descripción de los estadios del duelo, recurre a la analogía del vitral iluminado desde dentro en una noche oscura.[22]

En lo que respecta a lo numinoso del azul resplandeciente, la tradición budista tibetana enseña que «en esta fase, no te sentirás avasallado por la divina luz azul que se te aparecerá radiante, refulgente y gloriosa, ni te sorprenderás. Es la luz del Tathagata, llamada Luz de la Sabiduría del Dharmadhatu [Realidad absoluta]».[23] Para nuestro consuelo, los budistas tibetanos también llaman a este azul «la luz de la gracia».[24] En lugar de sentirnos intimidados, aterrorizados o avasallados, cuando encontramos campos de intensa luz coloreada en un sueño, sus enseñanzas nos indican que «es el fulgor de tu propia y verdadera naturaleza. Reconócela».[25]

En un contexto moderno, podemos comparar los sueños en los que un color nos impresiona con la inmersión en una piscina de terapia de color. Estas piscinas han sido utilizadas en la vida despierta para mejorar el bienestar emocional de mucha gente, incluidos los niños. Los niños autistas, por ejemplo, pueden tener dificultad en ser conscientes de su cuerpo, de modo que cuando se los sumerge en una piscina iluminada con algún color son capaces, quizá por primera vez, de tener un sentimiento de conciencia corporal. El físico Arthur Zajonc, al referirse a estos baños de color terapéuticos, describe cómo la luz coloreada, emitida desde focos instalados al borde de una piscina de terapia de color apenas por debajo de la superficie, solo se hace visible cuando el niño entra en el agua y queda bañado en color.[26] De forma parecida, cuando un sueño nos sumerge en un baño de color, somos invitados a conocernos como cuerpos de luz en un estado del ser más fluido.

Las fotografías de la Tierra desde el espacio nos recuerdan que no importa lo celestial que pueda parecer el azul, también es indicador de la vida en la Tierra. De hecho, los pigmentos de pintura se originan en la tierra, sus colores son extraídos de piedras, minerales, arcilla, conchas marinas, plantas y hierbas. Los brillantes pigmentos utilizados en los manuscritos iluminados del medioevo tienen todos su origen en sustancias terrestres, que incluyen ingredientes tan humildes como la resina de pino, la cera, la orina e incluso el estiércol, así como la soda cáustica y materiales mortales como el plomo y el mercurio.

El azul lapislázuli, extraído del infrecuente mineral llamado lazurita en lo profundo de los Himalayas en Afganistán, requiere una trituración meticulosa del polvo azul antes de que pueda mezclarse con agentes que permitan extraer el pigmento. El color resultante, también llamado azul ultramarino, alguna vez fue el pigmento más caro de la Europa medieval. Dada la belleza del azul lapislázuli, podemos entender por qué los europeos de la Edad Media creían que la mera visión de este color disipaba la melancolía. Mientras aprieto una pulida esfera de lapislázuli comprada como recuerdo del resplandeciente azul de mis sueños, me siento más serena y segura.

Las investigaciones modernas han demostrado que la luz y el color tienen funciones psicofisiológicas.[27] La luz azul, por ejemplo, inhibe la producción de melatonina que hace que nos quedemos dormidos, mientras que al mismo tiempo nos relaja tanto que nos sentimos despejados y a gusto, como en un calmo mar azul. Cuando entendemos las propiedades de los colores y sus efectos, podemos apreciar que así como la luz y los colores nos pueden ayudar fisiológica y emocionalmente en el estado de vigilia, del mismo modo pueden hacerlo la luz y los colores de nuestros sueños.

El anhelo espiritual que asocio con el azul claro tiene también su contrapartida literaria en el deseo de la «flor azul» del amor romántico. Esta imagen floreció en el romanticismo alemán, a fines del siglo XVIII y comienzos del XIX. El escritor Novalis, un soñador lúcido, escribió una novela en la que el protagonista, Enrique, añora encontrar la flor azul que ha visto en un sueño dentro de otro sueño (posiblemente basado en uno de los propios sueños lúcidos de Novalis):

> Soñó que estaba sentado sobre el suave césped junto al borde de una fuente cuyas aguas fluían en el aire y parecían desvanecerse en él. Oscuras rocas azules con filones de diversos colores se elevaron a la distancia. La luz diurna a su alrededor era más

suave y clara que de costumbre; el cielo era de un azul oscuro, libre de nubes. Pero lo que más llamó su atención fue una larga flor azul claro que se erguía cerca de la fuente, tocándola con sus anchas hojas lustrosas. A su alrededor crecían innúmeras flores de variada tonalidad que llenaban el aire con el más intenso perfume. Pero solo tuvo ojos para la flor azul y la contempló por largo rato con inexpresable ternura. Por fin, decidido a acercarse, ella comenzó a moverse y a cambiar de forma. Las hojas aumentaron su belleza, adornando el tallo en crecimiento. La flor se inclinó hacia él y reveló entre sus pétalos un azul en el que rondaba un rostro amable. Su deliciosa sorpresa iba en aumento ante el peculiar cambio, cuando la voz de su madre lo despertó y se encontró en la habitación de sus padres.[28]

Si bien Enrique nunca encuentra la idealizada flor azul, su búsqueda lo lleva al verdadero amor de Matilde. En última instancia, los colores nos conducen a una aprehensión directa de las profundas cualidades que revelan.

La intoxicación de Enrique con la incandescencia azul de la flor aparece reflejada en la descripción poética que hace Aldous Huxley de las flores de primavera que se le aparecen después de tomar cuatro décimas de gramo de la sustancia psicodélica conocida como mescalina. Una hora y media después de tomarla, Huxley quedó como hipnotizado por flores que brillaban «con su propia luz interior y temblaban bajo la presión del significado que les atribuían», vivas en su «existencia desnuda».[29] Huxley escribe:

> Seguí contemplando las flores, y en su viva luz me pareció detectar el equivalente cualitativo de la respiración, pero de una respiración que no regresaba a un punto de partida, sin menguas recurrentes sino solo un repetido flujo de belleza a belleza intensificada, de significado profundo a significado más profundo. Palabras como *gracia* y *transfiguración* vinieron a mi mente, y esto, desde luego, era lo que, entre otras cosas, significaban.[30]

Huxley consideraba que la mescalina había afectado la química de su cerebro de manera tal que las cosas se liberaban de los conceptos y categorías que solemos usar para delimitarlas en el tiempo y el espacio, y así vibraban con una extraordinaria calidad de Ser. A causa de esto planteó que el cuidadoso uso de la mescalina podía introducir al consumidor en una experiencia mística del color, percibida tanto en el mundo interno como externo, y donde los colores se convertían en lo principal, más allá de cualquier definición o denotación.

Con el objetivo de determinar la naturaleza de las experiencias espirituales[31] producidas por alucinógenos, los investigadores han estudiado informes de personas que tomaron psilocibina, un compuesto con efectos similares a la mescalina. Con ayuda de un cuestionario ideado para analizar las características de la experiencia mística, los investigadores identificaron cuatro rasgos destacados de las visiones producidas por drogas: una peculiar cualidad noética o sagrada, un estado de ánimo positivo, trascendencia de espacio-tiempo e inefabilidad.

Los sueños pueden darnos naturalmente una percepción mística de los colores sin necesidad de acudir a agentes químicos. Consideremos este sencillo sueño de una desconsolada viuda que acababa de perder a su marido de muchos años:

> [En mi sueño] bajé en la mañana y fui directo a la puerta principal... A través del cristal superior de la puerta podía ver fuera una neblina gris que brotaba de los robles de enfrente y también de los rosales del jardín con sus últimos retoños. No era un mundo tentador para contemplar —sombrío y ventoso y oscuro—, pero abrí la puerta. Y allí, para mi absoluto asombro, yacía en el umbral, cubriéndolo por completo, el más hermoso ramo de flores silvestres que haya visto jamás. En su centro se distinguían sedosas rosas rojas, las flores que adoro, y todo alrededor había rosas color crema, amarillas y anaranjadas, delicados helechos, y cada variante de las margaritas de San Miguel, desde las azul oscuro y púrpura hasta racimos de diminutas blancas de aspecto feérico. Una alegría y un agradecimiento profundos colmaron mi ser y me agaché para recoger las flores y llevarlas dentro.[32]

Como posdata, ella añade que este sueño «fue tan extraordinariamente vívido que me sentí impulsada a bajar las escaleras y abrir la puerta, tal como había hecho en el sueño, para mirar el umbral donde estaban las flores». Podemos sentir que la luz coloreada de las flores, recortadas contra el fondo gris, tiene propiedades curativas para el soñador. Si este fuera tu sueño, te invitaría a pintar o a comprar un ramo similar o a plantar flores que te recordasen el estímulo que el sueño transmitía.

Otra mujer, en este caso pastora de una iglesia, me contó que a menudo sueña que se ve envuelta por resplandecientes flores color pastel que la vivifican y la reabastecen con la energía que necesita para su ocupación. Los colores de sus flores de sueño —lavanda claro, amarillo, rosa y azul— la conmueven de manera muy literal y decidida. Estas experiencias oníricas traen a la mente una enseñanza del escritor y pastor del siglo XIX George MacDonald: «La idea de Dios *es* la flor».[33] En términos aún más esenciales, «La idea de Dios *es* el color». Los colores realzan lo extraordinario de la vida cotidiana; solo basta con prestarles atención.

El azul ocupa su justo lugar en el arcoíris, donde los colores existen en armonía y equilibrio. Ningún color o cualidad predomina, si bien sentimos intuitivamente las distintas cualidades y sus relaciones. De manera parecida, los colores desplegados en el «círculo cromático» del artista sugieren una organización subyacente y un poder imaginativo en sus armoniosas interrelaciones.

En el círculo cromático, el azul tiene una relación inmediata con el rojo y el amarillo. Si los mezclamos, obtenemos los llamados colores secundarios: el violeta, el verde y el naranja. La mezcla de dos colores reconcilia opuestos en una nueva síntesis: de dos colores surge uno nuevo. Al contemplar el juego de energías cromáticas de la rueda, el artista Paul Klee describe el movimiento como innecesario, ya que «no es cuestión de moverse a uno u otro lado, sino de estar en todas partes».[34] El círculo cromático ilumina la unidad en la multiplicidad, tal como los diversos colores surgen de una única fuente: la luz.

Si tenemos en mente el desarrollo de los colores en el círculo cromático, podemos reflexionar acerca de la composición de los colores que aparecen en nuestros sueños, las cualidades que nos brindan y lo que nos dicen de nuestras necesidades y de nuestra naturaleza. Recuerdo, en un sueño que tuve, que un grupo de trabajadores cargaba cajas de lo que parecían ser resaltadores o crayones de colores para los preparativos de un congreso. Uno de los hombres me ve y le dice risueño a sus compañeros: «¡Todos estos crayones no alcanzarán para pintar los colores que ella tiene en sus sueños!». Si bien el crayón celeste ha sido especialmente significativo para mí desde la infancia, cada color en una caja de crayones tiene su propia magia y significado.

A medida que continuamos explorando el mundo de los sueños, volveremos a visitar la naturaleza de los colores, de la luz y de la oscuridad. Pero antes de seguir adelante tómate un momento y deja que el color de alguno de tus sueños —tu propia caja de crayones— reaparezca en el ojo de tu mente. Date permiso para involucrarte con el color y observar sus cualidades, dónde sientes el color en tu cuerpo, cómo te mueve en lo emocional o te inspira en lo intelectual, y cómo toca tu corazón. Piensa en ese color como el lenguaje de tu alma.[35]

Encuentra un objeto, como mi piedra de lapislázuli, que refleje este color de sueño y exhíbelo en tu hogar como recordatorio de lo que ese color significa para ti. A través de los colores somos testigos de «la presencia de la imaginación»[36] que cobra vida en el mundo, tal como en nuestros sueños. Como dice el Fausto de Goethe, encontramos vida en el «esplendor que reflejan los múltiples matices» de la luz.[37] Iluminados por la imaginación, los colores se convierten en verdaderos «actos de luz»[38], al imbuirnos con sus asombrosas tonalidades y misteriosas cualidades del Ser.

7

La geometría de los sueños y las dimensiones de la conciencia

Nunca es literalmente cierto que cualquier forma sea insignificante y «no diga nada».
Toda forma en el mundo dice algo. Pero a menudo su mensaje no consigue llegar a nosotros,
y aunque lo haga, la absoluta comprensión suele resultarnos inalcanzable.[1]

Vasili Kandinski

¿Qué tiene en común una esfera del tamaño de una canica o una avellana con el origen del universo? Es posible que en tu infancia hayas jugado con canicas. Al igual que yo, puede que hayas tenido una que valorases por encima del resto. Yo prefería una grande y transparente con hebras de arcoíris entrelazadas. Solía llevar la atesorada canica en la mano, rodándola, para sentir su fresca superficie lisa, que me tranquilizaba. En ocasiones extendía mi mano, depositaba la canica sobre la palma abierta, la llevaba a la luz y me maravillaba con sus colores. La belleza inaccesible de la canica me hablaba de diferentes mundos. Al imaginarlo ahora, puedo sentir su solidez en el centro de mi mano.

Poco sospechaba entonces que cierto día, un físico, para describir los orígenes del universo que llamamos el Big Bang, llevaría la imaginación infantil a una nueva dimensión, al utilizar una canica de unos dos centímetros y medio para mostrar el tamaño del universo a los 10^{34} segundos.[2] Esta teoría sostiene que toda la materia del universo estalló a partir de nada, aunque un tipo particular de nada, a saber, un vacío cuántico lleno de masas de partículas subatómicas que fluctúan en sus formas.[3]

En 1373, en épocas en que la percepción ptolemaica de la tierra plana aún persistía en Europa, una mujer inglesa de unos treinta años tuvo en las primeras horas de la mañana una serie de dieciséis visiones en su lecho de muerte, en las que se encontraba con Jesús. Una de estas visiones prefigura la cosmología de algo-a-partir-de-nada del Big Bang:

> En esta Revelación, él me mostró algo más, algo pequeño, no mayor que una avellana, sobre la palma de su mano, redondo como una bola. Lo observé intrigada, y pensé «¿qué será esto?».
>
> Entonces llegó la respuesta: «Es todo lo creado».
>
> Me pregunté cómo sobreviviría. Era tan pequeña que creí que iba a consumirse y desaparecer.
>
> Luego me contestaron: «Existe ahora y siempre porque Dios la ama». Así, comprendí que todo existe a través del amor de Dios.[4]

Luego de esta inspiración, la mujer se recuperó y puso por escrito lo que denominaba sus «visiones». El libro en cuestión, *Revelaciones del amor divino*, se convirtió en un clásico del misticismo cristiano y ella se hizo conocida como madre Juliana de Norwich. Inspirada por sus visiones, se retiró del mundo a fin de contemplar a Dios en la clausura de una pequeña celda adosada a una iglesia en Norwich.[5] A través de la estrecha ventana que la comunicaba con el exterior, ofrecía guía espiritual a quien la buscara. Paradójicamente, en los confines de su estrecha celda, cuanto más hacia dentro se volvía Juliana, mayor era su alcance del ancho mundo.

Podemos asombrarnos de que alguien del siglo XIV tuviera una visión onírica de «algo no mayor que una avellana» que pudiese contener la semilla de una teoría científica ni siquiera concebida. Seiscientos años más tarde, el físico Louis de Broglie postuló la analogía estructural entre nuestras mentes y nuestro mundo físico; de otro modo, argumentó, la humanidad no habría sobrevivido.[6] De Broglie cita la manera visual de pensar que tenía Albert Einstein como ejemplo de que la mente puede llegar a conclusiones que difieren de la percepción cotidiana del tiempo y el espacio.[7] Según su biógrafo, Einstein reconocía que su capacidad para pensar visual e intuitivamente lo había llevado a la teoría de la relatividad.[8]

Vemos en acción un principio similar en un sueño que inspiró al químico decimonónico Friedrich August Kekulé a concebir la estructura molecular del benceno. Cansado de trabajar, Kekulé había acercado su silla a la chimenea para dormitar. Más tarde relató:

> ...Una vez más, los átomos revoloteaban ante mis ojos. Ahora unos pequeños grupos se mantenían modestamente en segundo plano. El ojo de mi mente, aguzado por repetidas visiones de ese tipo, ahora distinguía estructuras más amplias de formas cambiantes. Con frecuencia, largas hileras se

> cerraban, en movimiento, enroscándose y girando como serpientes. Pero ¿qué era eso? Una de las serpientes mordía su propia cola y la forma giraba sarcásticamente ante mis ojos. Desperté como sobresaltado por un rayo. Esta vez también pasé el resto de la noche trabajando las consecuencias de la hipótesis.

«Si aprendiésemos a soñar», añade, «entonces quizá encontraríamos la verdad... No obstante, debemos cuidarnos de publicar nuestros sueños antes de someterlos a prueba por parte de la mente despierta.»[9]

La serpiente de Kekulé pertenece al mismo linaje que la imagen alquímica del uróboros, la serpiente que eternamente muerde su cola, símbolo de la constante regeneración de la vida (véase fig. 7-1).

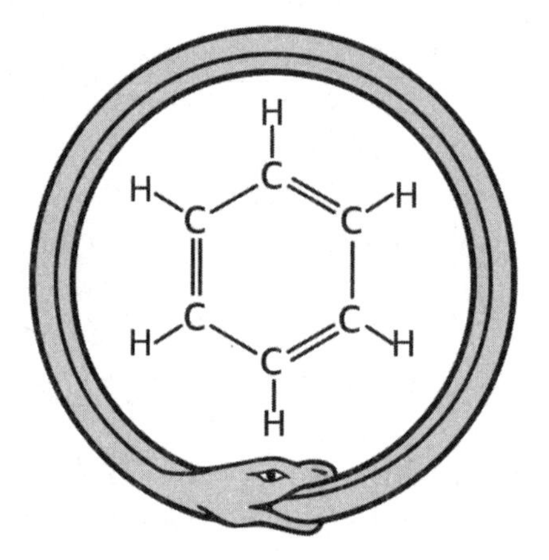

Figura 7-1: El uróboros y el anillo de átomos del carbono

Jung observó que la aplicación práctica de la visión interior de Kekulé consiguió aquello por lo cual los laboriosos experimentos de los alquimistas habían luchado en vano.[10]

Investigaciones actuales buscan establecer las correspondencias entre nuestra vida onírica y la forma en que nuestras mentes construyen la realidad de la vigilia. Allan Hobson, psiquiatra e investigador en sueños, ha argumentado que la fase REM sienta las bases de una «protoconciencia» de la que depende la conciencia despierta.[11] De acuerdo con su teoría, durante el dormir el cerebro aprovecha su modelo conceptual de mundo creando una realidad virtual.[12]

El paisaje onírico es «ficticio» en el sentido de que no se corresponde exactamente con la vida despierta; no por ello, sin embargo, deja de revelar principios subyacentes de la evolución de formas y movimientos en el mundo natural. Uno de los principios básicos que operan en la naturaleza es el de la *simetría*. La palabra *simetría*, compuesta por el prefijo *sim*, que significa «lo mismo» y la raíz *metro* o *medida*, nos lleva a reflexionar sobre una de sus propiedades clave. Cada vez que miramos un espejo, vemos una de las formas más comunes de simetría: la «simetría bilateral». Un objeto que posea simetría bilateral, como el rostro y la figura humana, está compuesto por dos mitades en espejo que forman un todo. Las mariposas, los árboles y las flores, por ejemplo, comparten esta propiedad simétrica. En la naturaleza, en las artes, en las ciencias y en los sueños, las proporciones simétricas, como aquellas inherentes al círculo, transmiten cualidades de belleza, armonía, equilibrio y plenitud. El físico e investigador de sueños Nigel Hamilton ha identificado el desarrollo simétrico como parte de un proceso natural y orgánico por el cual, a través de la evolución de formas simétricas en nuestros sueños, «realmente se construye algo en la psiquis».[13]

Para ilustrar este principio en acción, podemos visualizar las simetrías que forman parte de la construcción del círculo. Un círculo se forma con una infinita serie de polígonos bidimensionales, como los siguientes (véase fig. 7-2):

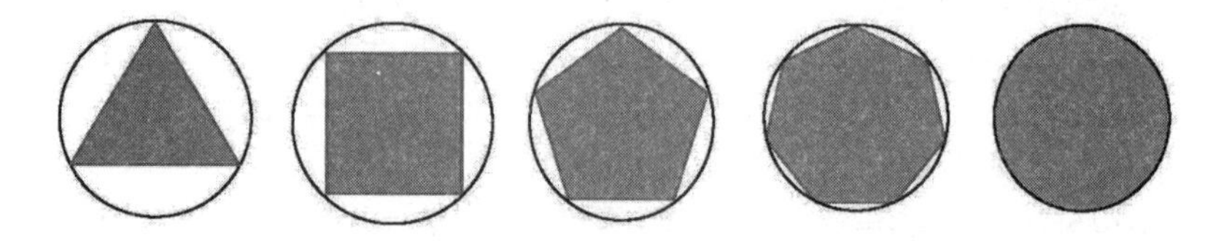

Figura 7-2: Creación de un círculo a partir de polígonos

A partir del triángulo equilátero, agregamos un cuarto lado para formar el cuadrado, seguido por un pentágono, un hexágono y así, en una serie infinita en la que los ángulos de los polígonos terminan redondeándose para crear el círculo. De este modo, puede decirse que una forma circular contiene todos los polígonos previos en ella, del mismo modo en que la «bola» que llevaba la madre Juliana en la mano contenía todo lo existente.

Ahora fijemos nuestra atención en dos formas geométricas fundamentales, el círculo y el cuadrado, con el objetivo de explorar de qué modo la apariencia y la evolución de sus simetrías pueden alentar y expresar el progreso de un soñador en lo que hace a su equilibrio emocional.

En primer lugar, consideremos el círculo. Carl Jung, a través de sus análisis de sueños, atribuía a la figura circular o esférica la calidad de arquetipo numinoso del yo más íntimo; formas tales como una piedra redonda, una mesa, la luna llena o una perla tienen la capacidad de evocar un movimiento interior hacia lo completo. Jung veía este arquetipo del yo expresado en el símbolo universal del mandala, el cual, explica, «retrata al yo como una estructura concéntrica... invariablemente sentida como la representación de un estado central o como centro de la personalidad esencialmente distinto del yo».[14] En el siglo XIII, el místico Meister Eckhart expresó la idea similar de que «el Ser es el círculo de Dios».[15]

Cuando perdemos nuestro sentido de la orientación, el sentido de lo que nos centra en la vida, en lugar de plenos podemos sentirnos fragmentados y perdidos. En esos momentos, la geometría de los sueños puede brindarnos una brújula interior que nos guíe «a casa», a lo más íntimo de nuestro yo. Una forma circular aparece, por ejemplo, en un sueño que tuve cerca de los treinta años, cuando daba clases en los Alpes suizos. Me sentía algo sola y poco segura en cuanto a continuar con las clases o regresar a mi tierra.

> Un círculo de gente mayor de la iglesia en la que crecí aparece en una sala blanca vacía y llena de luz. Una de las queridas damas que ha sido mi maestra los domingos se acerca y me pregunta qué parece andar mal. Cuando le hablo de mis preocupaciones, ella me muestra una hoja de papel con una lista. Mirando la lista, clava el dedo en la mitad y dice: «¡Pero Suiza está en la lista!».

Despierto agradecida y segura en mi decisión de haberme mudado a Suiza y de quedarme un poco más de tiempo.

Encontramos una forma circular elaborada en el sueño visionario de Heháka Sápa, uno de los grandes hombres sagrados de la tribu Oglala Lakota, mejor conocido como Alce Negro. Ya adulto, registró la visión que tuvo a los nueve años durante una grave enfermedad, en la que, según su relato,

> Comprendí más de lo que vi; pues veía de manera sagrada la figura de todas las cosas en el espíritu, y la figura debe vivir con las figuras como un solo ser. Y vi que el aro sagrado de mi gente era como muchos aros que conformaban un círculo, amplio como la luz del día y la luz de las estrellas, y en el centro crecía un asombroso árbol en floración para guarecer a los niños de cada uno y a un padre. Y vi que eso era sagrado.[16]

En la visión de Alce Negro, los aros se superponen creando simetrías cada vez más complejas. Las múltiples simetrías intensifican el poderoso efecto unificador de su visión.

En la rueda medicinal de las culturas indígenas americanas, el círculo se divide en cuatro cuadrantes que responden a los cuatro puntos cardinales: norte, sur, este y oeste (véase fig. 7-3).

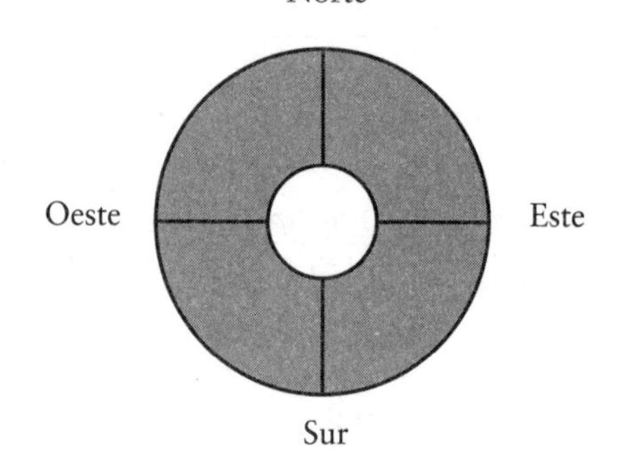

Figura 7-3: Las cuatro direcciones

Los cuadrantes también representan los movimientos cíclicos de la vida en la Tierra, del día a la noche, estación tras estación, año tras año: la rueda de la vida. En una escala cósmica, esto se extiende a las órbitas de los planetas y las galaxias y, más allá de todo eso, al nacimiento y muerte de los universos.

En la pintura ritual con arena de la tradición navajo, aparece personificado el movimiento sanador del sueño que apunta al equilibrio interior. El chamán diseña sobre la tierra una amplia rueda medicinal con arena de colores. La imaginería simétrica del mandala reproduce el equilibrio interno que el enfermo necesita para obtener plenitud física y psicológica, en tanto que el centro de la rueda simboliza un portal tridimensional al mundo de los espíritus. El suplicante se sienta en el centro, mirando al este, de manera que los espíritus puedan traer agentes sanadores mientras se llevan las causas de la enfermedad y el desequilibrio. Entre cánticos sagrados, el chamán pinta con las arenas del mandala el cuerpo del participante a modo de «plegaria visual» (véase fig. 7-4).[17]

Figura 7-4: pintura de arena navajo

El reequilibrio obtenido por el ritual de los cuadrantes de pintura de arena navajo halla un paralelo en el modelo junguiano de las cuatro funciones de la psiquis humana: pensamiento, sentimiento, intuición y sensación (véase fig. 7-5).[18]

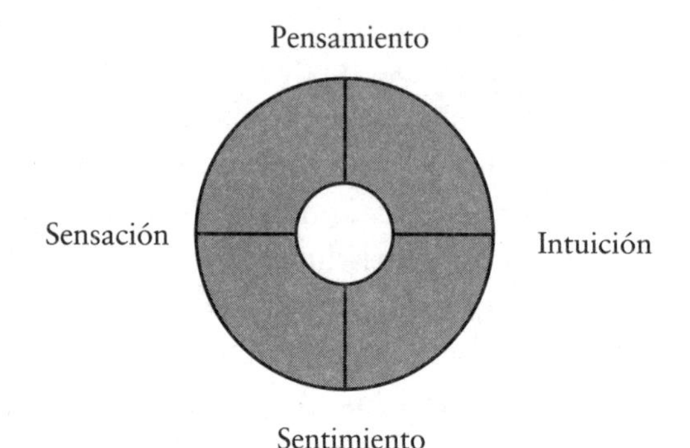

Figura 7-5: Las cuatro funciones

Para Jung, existe en cada uno de nosotros la tendencia a que una función se vuelva dominante, en tanto que las otras no se desarrollan del todo, causando un desequilibrio en la psiquis. Si fracasamos al emplear nuestro pensamiento para que nos ayude a discernir con imparcialidad, por ejemplo, podemos volvernos demasiado inestables emocionalmente y susceptibles de actuar impulsivamente. A la inversa, si solo confiamos en nuestra función de pensamiento, podemos ser demasiado determinados y perder contacto con nuestra humanidad. De manera similar, alguien que confía demasiado en la percepción sensorial se arriesga a descuidar su orientación intuitiva interna, en tanto que la intuición necesita fundamentarse en la vida cotidiana.

El sueño de Paul, un hombre de cuarenta años, refleja un desequilibrio en su función sentimental. Paul había perdido a sus padres un par de años antes. Sintió que el propósito de su vida había muerto con ellos, y desde entonces no lo podía recuperar. Se trata de un tema que veo a menudo en el trabajo terapéutico con los sueños:

Un niño pequeño está perdido y salgo a buscarlo.
El niño no tiene nombre.

Al preguntarle a Paul cómo se sentía al despertar, respondió tercamente que no lo sabía. Después de un rato, sin embargo, dijo de pronto: «Sé cómo me sentí cuando acabó el sueño: ¡perdido!». Le respondí que si algo estaba perdido, eso quería decir que se lo podía encontrar. Este sueño marcó el punto a partir del cual Paul tuvo un nuevo comienzo en la vida, al reconciliarse con el «niño perdido» que había en él. Su experiencia onírica nos recuerda que cuando nos sentimos perdidos en la vida, es importante reconocer nuestros sentimientos de desorientación para poder avanzar.

Cuando trabajamos con nuestros sueños obtenemos un conocimiento más profundo de nosotros y de los demás, y esta nueva comprensión puede aparecer expresada en el cambio de formas bidimensionales a formas tridimensionales, como por ejemplo del círculo a la esfera. En los sueños, este desarrollo conlleva una progresiva seriedad, una personalidad más centrada, que transmite una sensación terapéutica de plenitud y equilibrio.

La expansión interior de la conciencia se ve reflejada en la perfecta simetría interna de la esfera: no importa cómo la cortemos, las dos mitades de la esfera seguirán siendo idénticas. Nicolás Copérnico describió la esfera como «sin defecto» y «con mayor capacidad para contener y circunscribir todo lo demás».[19] Al carecer de vértices o ángulos, la esfera ofrece la menor superficie de cualquier volumen dado.

La fuerza de gravedad produce formas esféricas de distintas dimensiones, desde las gotas de agua hasta los planetas y las estrellas. Alimentada por la luz, una miríada de formas —minerales, plantas, animales y humanos— evoluciona a partir de la unidad esférica de la Tierra. Recientemente, algunos astrofísicos han propuesto un universo esférico a nivel macrocósmico.[20] Lo que pueda existir más allá de esa esfera es algo que no sabemos.

La aparición de formas simétricas tridimensionales en los sueños indica una creciente capacidad para enfrentar los desafíos de la vida con ecuanimidad, creatividad y una conciencia más amplia. Para poner un ejemplo, una mujer llamada Rachel compartió conmigo dos sueños en los que la esfericidad comenzaba a evolucionar. Antes de conocerme, ella había luchado para liberarse de una infancia arruinada por dogmas religiosos duros y llenos de castigos, pero todavía tenía que crear lo que describe hermosamente como su propio «evangelio del alma». En el primer sueño, Rachel observa a una artista que le enseña una técnica de pintura.

> Observo admirada mientras su pincel se mueve a diversas velocidades sobre la tela. Con ayuda de su imaginación, ella crea una imagen natural, pero la brillantez de su trazo y las técnicas del pincel aparecen realzadas por un elemento más, de carácter mágico. De este modo, lo que produce está mezclado con una fuerza independiente que crea en conjunto la imagen en la tela. «¡Esto es Dios!», exclama.

Al despertar, Rachel equiparó el misterioso acto de creación con lo que llamaría «el elemento divino» en ella misma.

Rachel trabajó conmigo en la psicoterapia de los sueños a lo largo de los siguientes dos años, en los que siguió desarrollando lo que Jung describiría como su propia «vida simbólica».[21] Hacia el final del entrenamiento, el tema de la pintura volvió a presentarse. En su segundo sueño, tanto el pintor como la superficie de la pintura asumen una forma distinta a la del sueño anterior.

> Estoy pintando, trabajo en una obra de arte con colores vivos, en un recipiente grande, redondo y poco profundo. Mi pincel sisea a máxima velocidad, trazando espirales y círculos que se fusionan. Luego añado un poco de agua al recipiente; pienso que los motivos se borrarán, pero estoy en una especie de piloto automático, de modo que el agua borbotea todo alrededor. Cuando la seco con breves toques, surge una pintura hermosa, detallada y completa. Sus colores son los rojos y los amarillos y se trata de un tríptico. El panel central representa una figura bíblica o alquímica que llena el espacio. A ambos lados, los paneles ofrecen rostros y figuras, algunos serenos y santos y otros torturados y tensos... Hay una insinuación de que los personajes son aspectos del Yo que necesito integrar para alcanzar la imagen central. Me siento plena con la sensación de relevancia de lo que mágicamente ha producido para mí.

En la comparación de ambos sueños, Rachel notó que en el segundo ella pasa de observar a una artista a convertirse en la mujer que crea; en otras palabras, de observar una imagen bidimensional del artista a participar de una personificación tridimensional de su propia creatividad.

Según explicó la misma Rachel: «En el primero, Dios produce arte; en el segundo, el arte produce a Dios. Es como si dos partes de un todo se hubieran unido».

Es importante observar que las superficies de pintura difieren en uno y otro sueño. En el primero, la obra de arte se produce en un plano bidimensional. En el segundo, se manifiesta en un cuenco tridimensional. La apariencia del cuenco se equipara con la sensación de espacio creciente en la personalidad de Rachel, un equilibrio de sus funciones emotivas e intuitivas en relación con sus funciones previamente dominantes de pensamiento y sensación. La aparición de los tres paneles indica una apertura a la dimensión espiritual de la psiquis de Rachel, al ser el tres un número tradicionalmente asociado a la divinidad. Tal como lo intuye Rachel, ambos sueños encajan como partes de una integración en curso de su espiritualidad y creatividad.

Del mismo modo que la evolución del círculo a la esfera, los sueños pueden indicar un movimiento del cuadrado a las tres dimensiones del cubo (véase fig. 7-6).

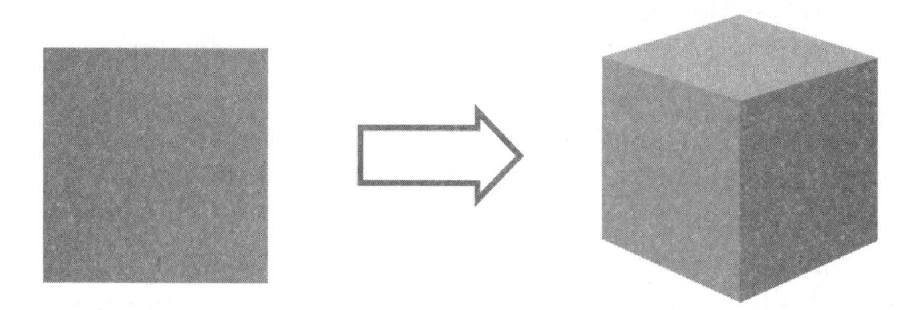

Figura 7-6: Dimensiones en expansión

Este desplazamiento de dos a tres dimensiones representa interiormente la comprensión de un espacio vivido en el que el soñador desarrolla la capacidad para involucrarse de lleno con la vida. La tradición zen enseña que es el espacio vacío de una casa lo que la hace habitable, así como el hueco de una taza permite llenarla.

Volviendo al «niño perdido» de Paul, mientras él continuaba con su trabajo interno, tuvo un sueño que reflejaba el mismo movimiento dimensional. Se encontró en una habitación desconocida, sin muebles, con tres extraños. Dos cosas anómalas le llamaron la atención en la sala: no tenía ventanas y el suelo estaba cubierto por unos centímetros de agua. Si bien este sueño al principio lo asustó, yo pude verlo como portador de una promesa: las personas, cuatro en total, sugerían algo cuadrado o mejor estructurado y contenido en la psiquis de Paul. La habitación aún no amueblada, un espacio tridimensional, revelaba un potencial de desarrollo personal, en tanto que el agua implicaba la aparición sanadora de sentimientos productivos.

Paul dijo que la habitación sin ventanas le producía claustrofobia. «¿Qué significa claustrofóbico para ti?», le pregunté. Se irguió en su silla. «¡Eso es exactamente lo que me preguntó el hombre del sueño! ¡Debe ser importante!», exclamó. Después de eso, relacionó los sentimientos claustrofóbicos de no tener opciones con la manera en que se sentía con su vida. En este ejemplo, reflexionar sobre su sueño le permitió a Paul «ver» cómo se estaba sintiendo y por qué. Luego podría explorar si era o no cierto que no tenía opciones y de qué manera podría crearse opciones, abrir nuevas ventanas en su vida.

Mientras nos concentramos en el movimiento del cuadrado al cubo, quiero compartir brevemente la significación de una secuencia de cuatro sueños propios a lo largo de un período de dieciocho años.

El primer sueño ocurrió cuando tenía veintisiete, dos años después de mudarme de Estados Unidos a Polonia, donde me ocupé del departamento de Inglés en un instituto de perfeccionamiento para profesores en lenguas extranjeras. En el momento del sueño ¡estaba enamorada!

> Mi novio y yo estamos en la playa, en California, contemplando el mar. En el horizonte se eleva una enorme ola, cuya negra inmensidad crece hasta alturas de rascacielos. La superficie parece de obsidiana, lisa y brillante. A medida que la ola se acerca, absorbe toda el agua que tiene por delante. Tomando la mano de mi novio, digo: «Podremos sobrevivir si corremos al encuentro de la ola y nadamos por debajo». Corremos al agua, al encuentro de la ola. Luego grito: «¡sumérgete!». Soy consciente del poder y la presión impresionantes de la ola mientras pasa eternamente por encima de nosotros. Por fin conseguimos salir a la superficie. El agua inunda la costa a lo largo de kilómetros. En la superficie negra del agua flotan viejas fotografías estilo Kodak de nuestra infancia, cuadradas y con un reborde blanco. Extrañamente, un embarcadero de madera brota del agua, y nadamos hacia él.

En este sueño, los cuadrados bidimensionales aparecen bajo la forma de fotografías de mi infancia. Pero en el momento del sueño mi enfoque era exterior, de modo que no sabía en qué medida los sentimientos del pasado configuraban mis elecciones de vida.

Entre este sueño y el siguiente pasaron unos dieciséis años. A lo largo de dichos años, si bien tuve una cantidad de experiencias vitales, residiendo, estudiando, escribiendo y trabajando en distintos países, mis respuestas condicionadas y mis patrones inconscientes no habían cambiado demasiado. Anhelando un cambio real en mí misma y en mi vida, me embarqué en prácticas de psicoterapia y yoga, con las que profundicé en la teoría y la práctica, en tanto aprendía modos de trabajar con la psiquis y el cuerpo, a la vez que entraba en una fase más introspectiva de mi vida. Estas nuevas maneras de pensar y de ser me dieron una visión profunda de mí y de los demás. Mis sueños se volvieron cada vez más lúcidos, y sus imágenes señalaban un movimiento de comprensión más consciente de lo condicionado de mi visión del mundo.

Una noche tuve un sueño en el que las imágenes me recordaron las fotografías flotando en el mar, pero con una diferencia:

> ...noto una pared en la que cuelgan de unos ganchos cientos de llaves. Cubos de vidrio de un centímetro y medio de ancho penden de cada llavero. Dentro de ellos se han insertado pequeñas fotos de mi infancia. Al agarrar uno de los llaveros veo que el vidrio otorga una dimensión de vida real a la foto, lo que me da la sensación de que podría entrar en la escena. Los llaveros de vidrio reflejan la luz, realzando la vitalidad de cada imagen. De pronto me doy cuenta de que estoy mirando momentos clave de mi infancia y de los acontecimientos tempranos que dieron forma a mi vida. Siento ternura de mí misma como niña. Entonces despierto.

El sueño refleja mi creciente comprensión de los condicionamientos en el pensamiento y en la conducta aprendidos de niña, pero en lugar de juzgarme crítica o desdeñosamente, puedo ahora mirar a la niña que fui con comprensión y benevolencia.

Después de completar mis prácticas en psicoterapia, ocupé el puesto de directora de una organización benéfica, trabajo muy demandante, sobre todo porque la principal fuente de donaciones pronto se retiraría. La tarea por delante parecía abrumadora, y solo mi confianza en el valor de nuestra labor superó mis temores. Decidí avanzar paso a paso cada día. Entonces tuve el siguiente sueño:

> Me encuentro en el centro donde trabajo, que tiene tres consultorios seguidos. Al entrar en el del medio, me sorprende ver que se abre a una especie de gigantesco hangar para aviones. Muchos operarios cargan grandes cilindros negros, cada uno con una escritura dorada por arriba. Cumplen con su trabajo en silencio y con diligencia. Ahora observo que unos receptáculos cúbicos se apilan contra la pared izquierda del hangar; al menos seis millones, pienso. Me parece inusual que una ceniza blanca lo cubra todo. De pronto comprendo que estos trabajadores tienen una tarea sagrada: están ordenando todas las cenizas de las víctimas judías del Holocausto y colocándolas en esos cilindros individuales, donde la escritura dorada registra el nombre de la persona en hebreo. Los trabajadores casi han terminado su tarea. Me siento profundamente conmovida por lo precioso de cada vida individual perdida, el peso de su sufrimiento y el terrible precio que tuvieron que pagar. Caigo de rodillas

ante el poder de este descubrimiento. Luego despierto, muy conmovida.

En un nivel universal, el sueño habla del reconocimiento colectivo de lo que la tragedia del Holocausto significó para la humanidad. En un nivel personal, las cajas cúbicas tridimensionales anticipan y me preparan para las habilidades que necesitaré ante el trabajo por hacer. Los trabajadores que aparecían en el sueño me sugirieron que tendría ayuda de muchos otros en la organización, lo cual, por suerte, fue así. El sueño también anunciaba el trabajo de transformación de la organización, donde tanta gente emprendería una tarea de cribar las cenizas de su vida para reconstituir una nueva dimensión de su yo.

El último sueño se produjo al final del desafiante año como directora de la organización:

> Camino con mi mentor. Él ahueca las manos diciendo: «Así es como siempre puede ser». Me veo deslizándome en el interior de un inmenso cubo compuesto por una luminosa negrura. Los vientos de ese espacio me llevan a través de los diversos ejes diagonales, verticales y horizontales que se encuentran en el punto medio del cubo. Los vientos me despejan y revitalizan, y siento mi conciencia ligera y espiritual, como un niño en un columpio. Entonces me despierto sintiéndome renovada.

En este sueño lúcido, la forma abstracta del cubo se convierte en la estructura primaria. Al final, terminé dirigiendo el centro por siete años más. A lo largo de ese tiempo, tuve una serie de sueños como este, que me respaldaron y me dieron inspiración y fuerza.[22]

Nuestros esfuerzos para reconocer las verdades que atesoran nuestros sueños pueden equipararse con el empeño por resolver el problema planteado por los geómetras de la antigüedad acerca de la cuadratura del círculo. El desafío consistía en encontrar la manera de mostrar cómo se podía igualar el exterior de un círculo con el exterior de un cuadrado. Este problema matemático no tiene una solución perfecta; el resultado es siempre una aproximación, sin importar lo mucho que pueda ajustarse el tamaño del círculo al del cuadrado. Hay, no obstante, una solución simbólica para los intentos alquímicos por cuadrar el círculo que, si bien no es matemáticamente exacta, crea lo que Jung consideró una profunda imagen del yo interior,[23] y que puede ilustrarse como sigue (véase fig. 7-7):

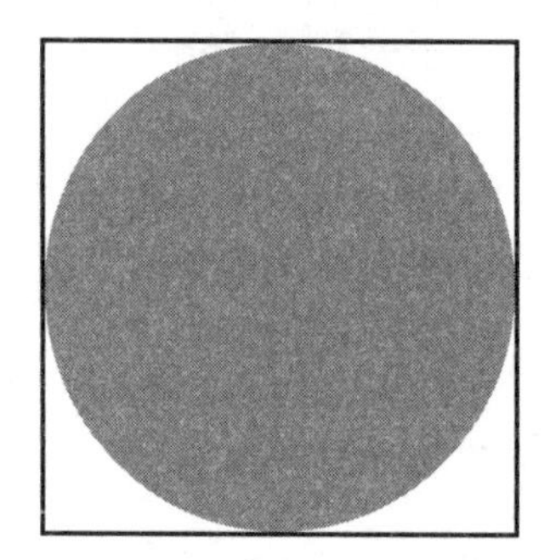

Figura 7-7: La cuadratura del círculo

En sueños, la cuadratura del círculo puede aparecer en imágenes tales como la luna llena reflejada en un espejo cuadrado.

Al visualizar la cuadratura del círculo como una esfera contenida dentro de un cubo, se produce una sensación intensificada de posibilidades en expansión, una ampliación y profundización de la conciencia. Esto podría revelarse mediante la presencia de una mesa redonda dentro de las cuatro paredes de una sala.

Cuando comprendemos las maneras en que la geometría interna de un sueño da forma a nuestros estados del ser, captamos con mayor plenitud en qué medida cada sueño, al igual que una esfera no mayor que una canica, o que la bola del tamaño de una avellana mencionada por Juliana de Norwich, contiene «todo lo creado».

8

El poder de la presencia sanadora en los sueños

Toda vida real es encuentro.[1]

Martin Buber

Si te pidiera que describieses a un allegado, a un familiar o amigo querido, sin duda me ofrecerías de inmediato una descripción tipo foto instantánea: su apariencia, cómo los has conocido y qué es lo que más te gusta de ellos, o sea muchas cosas que sabes de memoria. Pero si quisiera que me describas cualidades de su *presencia*, qué se siente al mirarlos a los ojos o al estar con ellos, las palabras podrían resultar más evasivas.

La naturaleza de la presencia comparte lo inefable y evocativo de los sueños, transmite una cualidad de sentimiento antes que algo claramente definido. Los alquimistas medievales, intrigados al descubrir que se necesitaban trescientos cincuenta kilos de pétalos de rosa para crear medio litro de esencia, concluyeron que del mismo modo el alma de una persona podía destilarse en una esencia que sugiriese su naturaleza: la fragancia del alma.[2]

En los diccionarios, la palabra *presencia* aparece como derivación del prefijo latino *prae*, «frente», y el verbo *esse*, «ser», lo que da *praesentia*, «estar frente a».[3] La presencia tiene la capacidad de producirnos una impresión, de conmover nuestra alma y de extraer cualidades inadvertidas por nosotros mismos. Al igual que una fragancia, cuanto más permanezca la presencia de una persona en nuestro corazón y nuestra mente, más fuerte será esa sensación de presencia.

Para ponernos en contacto con el poder sanador de la presencia en un sueño, más que describir simplemente lo ocurrido, necesitamos considerar primero cómo nos *sentimos* en respuesta a ese sueño. Del mismo modo que en las relaciones humanas, la naturaleza *sentida* de la presencia guarda la clave. Una mujer con la que trabajé, por ejemplo, me contó un sueño en el que estaba sentada con su hermana menor. No la veía hacía muchos años, pero siempre la había admirado por su fortaleza e inteligencia. En su relato comentaba que no podía recordar lo que se decían, que era «más bien un sentimiento. Como si nuestras almas se tocasen. A veces eso ocurre en los sueños, nuestras almas se tocan», y añadió: «fue bastante parecido a estar sentada ahora con usted».

Cuando dos almas se tocan, algo nuevo nace en el espacio entre ellas, una especial cualidad sanadora de la presencia que se percibe distinta a los intercambios más habituales con otras personas en la vida cotidiana. El psicólogo Carl Rogers, en su exploración de la cualidad relacional entre paciente y terapeuta, dijo de su propia obra: «Creo que con el tiempo me he vuelto más consciente del hecho de que en terapia hago uso de mi *yo*. Reconozco que cuando me concentro intensamente en un paciente, tan solo mi *presencia* parece estar curando, y creo que esto puede ser probable en el caso de cualquier buen terapeuta».[4] De acuerdo con el acercamiento de Rogers a la psicoterapia, un terapeuta representa una presencia sanadora cuando es genuino, tolerante y empático; en otras palabras, cuando está incondicionalmente «presente» para sus pacientes.

Sobre la base de las enseñanzas budistas, el psicoterapeuta John Welwood se pregunta «¿Qué es la *presencia incondicional*?», y responde sencillamente: «Estar presentes ante nuestra experiencia en cuanto tal».[5] Aunque esto pueda sonar muy fácil, para la mayoría de nosotros es duro porque constantemente queremos evitar situaciones que nos causen ansiedad, incomodidad o dolor. En lugar de sentir curiosidad por sentimientos incómodos, tendemos a rechazarlos, levantando defensas contra ellos. En cambio, cuando respondemos a nuestras experiencias vitales, incluyendo nuestros sueños, con apertura y ecuanimidad antes que con temor, ingresamos en una comprensión más compasiva de los demás y de nosotros mismos.

La tradición medieval de la pintura de iconos nos ofrece aquí un interesante paralelo. Los iconos sirven para relacionar imaginativamente el mundo de los sentidos y una dimensión más profunda y sutil, imbuida con las cualidades de la verdadera presencia. Se ha dicho que los iconos nos abren «una ventana sagrada al mundo invisible».[6] Un icono pintado a comienzos del siglo XV, atribuido al pintor ruso Andréi Rubliov y que ilustra el comienzo de este capítulo, transmite esa sensación de presencia capaz de tocar el alma.

En el icono vemos tres figuras reunidas en torno a una mesa para compartir una comida. Sus cabezas se inclinan en tranquila comunión. Seguramente se habrá notado ya que estas figuras tienen alas que se fusionan con el paisaje y aureolas que indican una inteligencia iluminada, señales de que hemos entrado en el reino suprasensorial de las presencias angélicas. Antes de comenzar a analizar, interpretar o juzgar esta obra de arte, tómate un momento para estar verdaderamente *presente* ante las cualidades que emanan de ella, sentimientos como serenidad, intimidad, armonía, equilibrio, calma y plenitud.

Acerquémonos a este icono como si se tratara de un paisaje onírico. En la pintura original, los seres sentados en torno a la mesa llevan vestimentas externas luminosas de color rojo, azul y verde, de una calidad diáfana y ricamente matizada. Sus brazos y cuellos exageradamente largos les imprimen una apariencia más grande de lo normal que destaca su importancia, en tanto que el trasfondo es menos significativo. Sus alas los rodean. Una energía dinámica circula en un flujo armonioso entre esos seres humildes, aunque elegantes, que se miran unos a otros alrededor de la mesa.

Cuando se la observa en color, el fondo del icono brilla con su laminado en oro, como si estuviese iluminado desde dentro.[7] En los iconos no se representa ninguna fuente de luz externa, de modo que no hay sombras. Este es generalmente el caso con los sueños también. En ambos la iluminación proviene de la luz interior.

Al mirar con atención el icono de Rubliov podemos ver que la perspectiva invertida usada en la pintura de iconos —estrecha al frente y amplia en el fondo— coloca al contemplador en el centro de la imagen, en el eje de su simetría. El espacio vacío en la mesa nos invita a sentarnos y tomar parte de la comida, a compartir el encuentro íntimo de los ángeles, su sereno poder de sentimientos vivos.

Ahora imagina que te unes a estos celestiales extraños en su mesa. Tómate un momento para considerar lo que sientes al hacerlo. ¿Acaso la invitación te hace sentir escéptico, inseguro, incómodo, indigno, sin preparación, tímido, impaciente, desinteresado, curioso, con confianza, alegre, agradecido o alguna otra cosa? ¿Estás abierto a la posibilidad o te tensas y te retiras?

No siempre se tienen sentimientos claros como para aceptar una invitación de esta índole y relacionarnos con ella de un modo amigable y receptivo. La reacción que tengamos dice mucho acerca de nuestra respuesta emocional a las oportunidades que los sueños, al igual que la vida, nos ofrecen.

De acuerdo con la tradición, este icono representa un pasaje bíblico en el que Abraham, el patriarca del Antiguo Testamento, recibe a unos extraños con hospitalidad y les sirve comida, solo para enterarse, una vez que los desconocidos se han ido, que había servido a unos ángeles.[8] También en calidad de espectadores podemos ver a los invitados a través de los ojos de Abraham, e invitarlos a nuestra mesa. Aunque retrata un tiempo y un lugar determinados, el icono nos pide que entremos en la universalidad de su enseñanza: «No descuides la hospitalidad con los extraños, pues hay quienes así, sin saberlo, han albergado ángeles».[9] Abraham se entera de que los extraños le traen buenas noticias: su mujer Raquel, aunque ya ha dejado atrás hace tiempo sus años fértiles, dará a luz a un niño.

De manera similar, cuando somos capaces de recibir a un extraño con cordialidad en nuestros sueños, vemos surgir de forma inesperada una nueva vida en lo cotidiano. El sueño de una mujer que estuvo en Auschwitz durante la Segunda Guerra Mundial lo demuestra poderosamente.

> Soñé que caminaba hacia un río de aguas muy turbias. Al otro lado, mi hermano mayor, Stachu,[10] se dirigía hacia mí (él ya había muerto cuando tuve este sueño). Ambos saltábamos al agua al mismo tiempo. Mis pies se hundían en el lodo. Cuando nos encontramos en lo más profundo del río, mi hermano me pasó un enorme pez flamígero. Grité aterrorizada: «Stachu, no puedo cargarlo, no pue-

do cargarlo». Y él con calma me respondía: «Lo cargarás, lo cargarás».

«Cuando más tarde caí con tifus... sus palabras me consolaron en la enfermedad y me dieron esperanzas de que sobreviviría. Y así fue», añade.[11]

Si bien el violento pez asusta a la soñadora, sabemos por la alquimia que el fuego también servía como poderoso agente de transformación y purificación. Que una criatura acuática como un pez esté en llamas produce miedo. Sin embargo, podemos observar también que esta extraña combinación de ambas imágenes tiene una cualidad misteriosa, como la zarza ardiente a través de la que Yahvé habla a Moisés en el Antiguo Testamento. El pez flamígero se presenta entre las figuras del hermano y la hermana con la naturaleza numinosa de una presencia abrumadora que inspira asombro y terror a la vez: el *mysterium tremendum.*[12] Cuando percibimos que el *mysterium tremendum* se origina a partir de un poder externo a nosotros, al que sentimos como «completamente otro»,[13] puede volverse intolerable, como en este sueño. No obstante, si bien la soñadora se siente aterrada por la extraña cualidad del pez, la afirmación del hermano actúa como antídoto para su terror, y su amor la ayuda a superar el miedo.[14]

Qué significaba exactamente el pez para la soñadora, ella no lo dice, pero reconoce que las palabras finales de su hermano —«Lo cargarás»— la ayudaron a sobrevivir a un tifus potencialmente fatal. Esta sobreviviente de Auschwitz considera que su sueño trata de la supervivencia física, pero visto desde una perspectiva transpersonal, también le dio fortaleza espiritual para «cargar» con el peso de los horrores del campo de concentración y sobrevivir a ello.

Una criatura como un pez de sueño emana presencia y más todavía cuando el soñador se involucra plenamente con ella. A modo de ejemplo, podemos recurrir a otra experiencia de Ángela, cuyo sueño de la Capilla Sixtina hemos visto en el capítulo cinco sobre la luz. En esta segunda oportunidad, Ángela pasaba por un momento personal difícil, cuando la necesidad de hacerse un espacio creativo propio pasó a un primer plano. Solo al compartir el sueño en fase de vigilia el sentido de la presencia interior cobró vida realmente.

> Descanso en una cama con mi padre... La cama es peculiar ya que se trata ¡de un tanque de agua! De pronto una enorme carpa dorada resbala fuera y comienza a dar vueltas en círculos obsesivamente. Mi padre y yo nos quedamos perplejos y sobresaltados; «¿De dónde ha venido?», grita mi padre. «¿Quién lo puso allí? Los pececillos están bien, ¡pero no este monstruo!» Salto de la cama y considero la escena. Al principio encuentro al pez extraño y temible, pero luego comprendo que, pese a su tamaño, es inofensivo. La pobre criatura solo está nerviosa. Se ha visto obligada a salir porque es demasiado grande y ya no puede soportar un espacio tan exiguo. Por otro lado, no puede permanecer fuera de la cama porque necesita agua para respirar, de modo que el pez está condenado a moverse dentro y fuera de su prisión en un inexorable y frenético círculo vicioso. Lo observo tranquilamente, y pienso con creciente compasión que tendré que capturarlo y llevarlo al mar.

Después de que Ángela me contara este sueño, lo exploramos como sueño lúcido. En el proceso, desde un plano imaginario ella se involucró directamente con el pez, alzando a la criatura entre sus brazos. Al hacerlo, sintió compasión hacia él y pudo apreciar su poderosa energía. Esto la conmovió profundamente. Se sintió capaz de contener la energía del pez y se mantuvo concentrada en él por unos instantes. Cuando le sugerí seguir adelante y dejar que la experiencia se desarrollase sola, ella cargó el pez hasta el mar, donde lo soltó, imitando este movimiento a medida que relataba el resto del sueño. Cuando Ángela liberó al pez en el agua tuvo la seguridad de que la gran carpa dorada ahora tendría un lugar ilimitado para nadar libre de pesares.

En su reflexión sobre el sueño y el trabajo de sueño, Ángela se vio a sí misma en el pez, pero vio también un símbolo espiritual.[15] «Para mí», añadió Ángela, «el sueño no es solo una recreación del dolor y la claustrofobia que me hicieron abandonar mi hogar a los veinte años, también me habla de que el salto que ahora mismo debo dar es en un nivel espiritual». Ángela interpretó el movimiento de la «cama de agua al lecho del mar» como un movimiento en dirección a su yo superior y transpersonal, y explicó que «este camino pasa a través del corazón, con una compasión que no rechaza al pez como algo ajeno, como algo equivocado en el lugar equivocado, sino que lo acepta y asume el esfuerzo del trayecto hacia la libertad». Al decir esto, ella hablaba en nombre de un arquetipo masculino más positivo, una cualidad paternal en ella misma que podría darle orientación y energía.

En los dos sueños relatados aquí, un pez aparece asociado a una presencia sanadora: el primero con una confortación emocional preservadora de vida y el segundo con una percepción directa de empoderamiento para pasar a la acción. Los elementos psicológicos y espirituales dentro de cada sueño coinciden y se informan mutuamente, una perspectiva psicoespiritual doble en la que elementos personales y transpersonales se combinan.

En los sueños, un ser también puede brindar una curación física, como lo experimenté personalmente cuando una severa infección de los senos paranasales me incapacitó durante semanas. Acababa de mudarme a Londres, proveniente de Suiza, en un momento complicado en mi vida y me sentía desalentada. Luego soñé lo siguiente:

> Me encuentro en la luz del atardecer. Un ser que me recuerda al ángel Gabriel de un sueño que tuve muchos años atrás se me acerca y dice: «He oído que no te has sentido bien últimamente». Al hablar, levanta su índice derecho y toca la zona del seno nasal debajo de cada ojo. Entonces me siento instantáneamente mejor y comprendo que cuando despierte comenzaré a sentirme bien. Al ver que se da la vuelta para alejarse, exclamo: «¿Puedes sanar mi espíritu?». Él se acerca de nuevo hacia mí. Me mira con muchísimo amor mientras alza su dedo hasta el punto entre mis cejas. La punta de su dedo parece apenas a un paso de distancia y puedo sentir su calor y su poder. Entonces me mira de repente con mucha ternura y con profundo arrepentimiento baja lentamente su mano. Parece como si de pronto hubiera recibido el mensaje de no curarme de esa manera. Nos miramos por largo rato y me doy cuenta con desilusión y resignación que si bien la curación de mi cuerpo será rápida, la de mi espíritu llevará años, al menos otros siete años, si no más. Y entonces despierto.

Aunque el encuentro con una presencia sanadora en este sueño parecía atemporal, el sueño en sí encerraba un sentido del tiempo muy terrenal. Los intervalos de tiempo específicos que se dan en los sueños a menudo resultan tener una aplicación literal. En este caso, siete años después del sueño comencé las prácticas en el programa de psicoterapia que me llevaría a trabajar más estrechamente con los sueños. Fue entonces cuando mi verdadera curación interior comenzó.[16]

Los sueños, al igual que los iconos, también desdoblan el tiempo en dos niveles: *cronos* y *kairós*. El primero se refiere al tiempo cronológico, el continuo de pasado, presente y futuro, llamado así a partir del dios griego Cronos, «el padre del tiempo». El segundo, bautizado de acuerdo con el dios griego Kairós, describe la cualidad del tiempo experimentado cuando, por ejemplo, nos encontramos con una presencia real. En tales momentos, el tiempo se vuelve fluido y hasta parecería que se detiene por completo, como cuando estamos de lleno en el «ahora».

Si volvemos al icono de Rubliov, veremos que tanto *cronos* como *kairós* están presentes. El fondo del cuadro ubica al acontecimiento histórico en el tiempo (la casa de Abraham, el roble cercano a ella y una montaña), pero el énfasis se da en la participación de tres figuras en una comunión: este compartir el *kairós* en una humilde comida también expresa la comprensión cristiana de la presencia divina como trinidad del Padre, el Hijo y el Espíritu Santo. *Kairós* infunde una cualidad sagrada en acciones cotidianas como partir el pan juntos.

De este modo, un encuentro sagrado puede dejar la impresión duradera de una profunda comunión con una presencia sanadora, como en el siguiente sueño de una persona que pasaba por un momento de profundo malestar personal. Describe el sueño como el más breve pero más poderoso que haya tenido, y añade que, pasados tantos años, sigue siendo tan vívido y conmovedor como cuando tuvo lugar.

> Camino por un sendero o paso cuando de repente advierto la presencia de una persona a mi derecha. Giro para mirar y hay allí un hombre de unos treinta años. Su cara y sus ojos brillan con amor y sonríe, una sonrisa que parece ir directamente a mi interior y que me llena de gozo. Luego despierto y sé instantáneamente que mi compañero era Jesús.

Los encuentros sagrados en sueños e iconos transmiten una sensación de presencia que trasciende el dogma religioso, y recupera el sentido original que encontramos en el corazón de la palabra *religioso*: «curar, ligar, unir, superar, restaurar», capacidades que el analista junguiano Robert Johnson llama «nuestras facultades sagradas».[17]

La mayoría de la gente está hoy más familiarizada con los iconos como imágenes en sus ordenadores que con los iconos religiosos. Pero los iconos de ordenador comparten ciertos atributos con sus contrapartes medievales. Para acceder a internet, por ejemplo, damos clic a la imagen del «icono» elegido, iniciando un programa que extiende el alcance y la capacidad de nuestra mente, y que nos revela mundos hasta entonces no vistos. Mediante un mundo simulado, una realidad efectivamente virtual, ingresamos en una catedral tecnológica de la mente, un espacio arquitectónico que acoge una inteligencia infinitamente más vasta que la de la mente individual.

En la medida en que internet nos conecta de forma positiva, superando la distancia entre individuos y ampliando nuestro campo de conocimiento, posee el potencial de alimentar tanto facultades como emociones sagradas en nuestras vidas, estemos despiertos o dormidos. No obstante, es esencial que nuestros corazones también se involucren y que seamos lo bastante conscientes como para la reflexión profunda, de lo contrario el flujo incesante de imágenes nos atrae a un mundo de sensaciones antes que al Mundo Imaginal interior.

En 2017, el director de cine Werner Herzog hizo un documental titulado *El inicio de internet* (*Lo and Behold. Reveries of the Connected World*).[18] La expresión que usa Herzog al comienzo, *Lo and behold* («hete aquí», literalmente «miren y vean»), alude tanto a *cronos* como a *kairós*. La palabra *lo* del título proviene de las dos letras utilizadas para la primera transmisión de internet, que conectó por poco tiempo la Universidad de California en Los Ángeles con la Universidad de Stanford cerca de San Francisco (antes de que el sistema se cayera). *Lo and behold* son palabras tradicionalmente reservadas a mensajeros angelicales que anuncian una presencia divina. En este contexto, el título se refiere irónicamente a la consideración casi idolátrica con la que el público se expresa sobre internet y el poder que detenta. «¿Puede internet soñar sobre sí misma?», especula Herzog. En un sentido, internet se ha convertido rápidamente en un nuevo campo de sueños, una plataforma global para lo que el visionario Teilhard de Chardin llamó la «noosfera», «la capa pensante» de la conciencia evolutiva planetaria.[19] En el lado negativo, Herzog descubre una internet utilizada para propósitos pesadillescos: acoso sexual, intimidación cibernética, propaganda política y consumismo desbocado, todo desprovisto de empatía o compasión.

La mayoría de nosotros pasa ahora más de un día entero a la semana conectado,[20] *mucho más de lo que pasamos soñando*, mirando fuera en busca de «información» en lugar de buscarla dentro. Alrededor del 75 % de los adolescentes en Estados Unidos revisan sus mensajes en las redes sociales tan pronto se levantan, antes de hacer ninguna otra cosa.[21] ¡Qué distintos se sentirían si, al despertar, se tomaran un tiempo para considerar sus sueños nocturnos! El «mundo *online*» estimula la imaginación y también puede crear un sentimiento superficial de presencia e intimidad. Pero sin conexión física ni apoyo emocional —el toque humano— pasar largos períodos de tiempo conectado puede profundizar una sensación de desconexión, aislamiento y soledad.[22]

Programas como DeepDream de Google usan algoritmos y redes en distintos niveles para convertir objetos familiares en creaciones fantásticas. En un caso, cuando se le pidió a la red que descubriera imágenes en fotografías de nubes, en su intento por imitar estructuras básicas del cerebro humano, produjo una extraña criatura híbrida flotando en el cielo, con la cabeza de un perro y el cuerpo de un pez.[23]

Tales imágenes, generadas por ordenador, pueden estimular nuevos modos de ver estructuras en objetos cotidianos, pero no surgen de la vida del individuo, y por lo tanto fracasan en la tarea de enriquecer de manera significativa nuestro sentimiento subjetivo del ser. El perro-pez como imagen generada por el ordenador no logra emanar la presencia viva de un «ser de sueño». Como derivado de una compilación de imágenes de archivo de la red, pertenece a todos y a nadie. La imaginería onírica, por el contrario, está hecha a medida en la fábrica de nuestras propias experiencias y personalidad, tiene la talla de nuestra naturaleza y nuestras necesidades, y cultiva empatía hacia nosotros y los demás.

Al reflexionar sobre el perro-pez generado por el ordenador, las maravillas de este tipo de imágenes palidecen en su insignificancia frente al recuerdo numinoso de un pez con el que soñé de joven, y que afloró desde las profundidades de mi memoria:

> Estoy en el patio vacío del colegio al que fui entre los ocho y los once años. Me siento infeliz de estar en un lugar que no puedo evocar con agrado. El vacío del patio me recuerda lo mucho que ansío un modo de vida distinto. Al mirar hacia arriba me sorprende ver un pez ángel inusualmente grande —unos cuantos centímetros de ancho y un metro y medio de largo— nadando en el aire a la altura de los ojos, escrutando mis ojos intensamente con los suyos bulbosos y oscuros. El pez mueve sus carnosos labios en silencio en tanto que su hermoso cuerpo traslúcido centellea con colores cambiantes. Observo boquiabierta al pez que me mira fijamente. Al principio tengo miedo, pero luego comprendo que no tiene intenciones de hacerme daño. Por el contrario, parece que me habla. Entonces despierto.

En medio de los desafíos de mi adolescencia, la memoria onírica de aquel «pez de aire» permaneció conmigo y me dio ánimo. Si miro para atrás, me gustaría haber tenido un guía de sueño que me ayudase a usar mi imaginación para hablar con el pez o tocarlo. Cuando cierro los ojos, aún hoy puedo sentir la creatividad y el espíritu mágico de aquella criatura.

A los veinte años, el pez de aire cobró un significado nuevo cuando estudiaba literatura inglesa. Como parte de mis estudios, me crucé con un cuento de hadas llamado «La llave dorada», escrito por el escocés George MacDonald. Un pez de aire similar se le aparece allí a una niña llamada Tangle, cuando ella se pierde en un bosque. MacDonald hace un encantador retrato de él: «Era una criatura singular, hecha como un pez pero cubierta de plumas coloridas en lugar de escamas, irisadas como las de un picaflor. No poseía aletas, ni alas, y atravesaba el aire nadando como un pez lo haría en el agua. Su cabeza era como la de un pequeño búho».[24]

Numerosos peces de aire acompañan a Tangle en su viaje y la ayudan a alimentarse, permitiéndole que ella los cocine en una olla y se los coma. Una buena mujer le asegura a Tangle que «ellos no son destruidos... De esa olla sale algo más que un pez muerto, ya lo verás».[25] Cuando Tangle prueba la deliciosa carne, es capaz de comprender los sonidos de las criaturas del bosque como un lenguaje, así como el parloteo de los insectos. Más tarde, un hada pequeña sale volando de la olla: ¡el pez de aire se ha transformado!

El pez de aire de mi sueño, de manera similar, alimentaba mi alma con el apoyo que en ese momento necesitaba particularmente; un toque de magia y belleza que hablaba de posibilidades frustradas. El pez de aire da vida a lo que el propio George MacDonald dijo de los sueños: «Creo que, en el caso de que haya un amor vivo y consciente en el corazón del universo, la mente, en la inactividad de su conciencia durante el sueño, se pone en contacto con sus orígenes en el corazón de la creación...».[26]

La magnífica presencia del pez de aire en mi sueño también me recuerda a las enseñanzas de John Welwood acerca de la «conciencia no condicionada»:

> La conciencia pura es directa, no inventada, intencional, clara y fluida como el agua. Si bien nadamos en este mar de pura conciencia, nuestra mente ocupada salta constantemente de isla en isla, de pensamiento

> en pensamiento, atravesando esta conciencia que es su suelo sin llegar a descansar nunca allí. Mientras tanto, nuestra conciencia no condicionada opera en silencio en un segundo plano, sin importar lo que haga nuestra mente ocupada. Todos tenemos acceso a ella. Es nuestra realidad más íntima, tan cercana que a menudo es difícil de ver.[27]

Nuestros sueños nos dan los medios naturales para despertar más directamente a esta conciencia, nunca más importante que en el mundo de hoy, donde el despliegue de tecnología nos hunde en una realidad digital impersonal y nos distrae con tanta facilidad del conocimiento de nosotros mismos.[28]

Para volver a conectar con la presencia sanadora de alguno de tus propios sueños, busca lápiz y papel y un lugar tranquilo, cierra los ojos, respira profundamente y luego lleva a tu mente la imagen portadora de presencia. Deja pasar uno o dos minutos sintiendo las cualidades que la presencia sanadora evoca en ti. Quizá, como mi pez de aire, te pone en contacto con una cualidad mágica de asombro y te ofrece un consuelo tranquilo o, como lo sintió Ángela al agarrar su carpa dorada, puedes sentir una poderosa fuerza creativa. Puede ser que alternes entre un asombro terrible cercano al miedo, como la mujer que soñó con el pez de fuego en Auschwitz, que sin embargo la preparó para sobrellevar las cargas de la vida. Lo que sea que sientas, quédate con el sentimiento por unos momentos. Luego, con tu próxima espiración, suelta ese sentimiento en el mundo. Ahora toma tu lápiz y regálate unos minutos para poner por escrito lo que la presencia del sueño tiene para contarte.

Esto es lo que mi pez de sueño me «dijo» hace poco:

> ¿De dónde provengo? De tu interior y de tu exterior. Encuentra la magia que hay en mí. No estás sola, eres querida. Aprende a ver mi belleza en todo momento, incluso entre lo que parece duro y feo en ti y en la vida. Al igual que yo, nadas en el aire de la Tierra y el Espíritu, sumergida en un mundo invisible que da vida a todo lo que ves. Recuérdame cuando el mundo parezca descolorido y gris y yo traeré colores nuevos a tu vida.

Cuando volvemos a conectarnos con el poder de una presencia real en nuestros sueños, tenemos a nuestra disposición un toque sanador, no importa cuánto tiempo haya pasado desde el sueño.

Considera las palabras del maestro taoísta Lao Tsé, escritas hace dos mil quinientos años.

> El Camino mismo es como algo
> visto en sueños, elusivo, evasivo.
> En él hay imágenes elusivas, evasivas.
> En él hay cosas como sombras en el crepúsculo.
> En él hay esencias, sutiles pero reales,
> insertas en la verdad.[29]

«Sutiles pero reales», las imágenes y esencias de nuestros sueños pueden asumir muchas formas, que van desde los objetos inanimados hasta las criaturas vivientes —plantas, peces, aves y animales—, desde personificaciones de seres humanos o ideales hasta una luz abstracta e imágenes coloridas.[30] Todo nos invita a abandonar el resplandor de las pantallas, a desacelerar el ritmo frenético de nuestra vida y abrirnos al poder sanador de la presencia verdadera que se ilumina dentro de nuestros sueños.

LOWADO:SEIA:OSANC
TISSIMO:SACRAMENTO

9

Pesadillas: del miedo a la libertad

Cuando te acuestes no sentirás temor;
y tendrás dulces sueños; y tu sueño será grato.[1]
Proverbios 3:24

¿Alguna vez has tenido la pesadilla de caer desde una gran altura o ser perseguido por un extraño amenazador o por una criatura terrorífica? Si es así, no estás solo; muchas personas de diferentes culturas afirman tener habitualmente tales sueños.[2] Saber que otros tienen pesadillas similares puede ofrecer algún alivio, pero es aún más tranquilizador comprender que en un sueño aterrador, en lugar de huir, cada uno de nosotros tiene el poder de hacer las paces con aquello a lo que le teme.

Como sugiere un estudio de amplio espectro sobre la efectividad de la terapia para lidiar con las pesadillas, los cambios en las creencias sobre las pesadillas y cómo respondemos al miedo juegan un papel clave.[3] Este capítulo explorará cómo, al hacer tales cambios, descubrimos que podemos conseguir poder sobre nuestros temores, que tenemos dentro de nosotros más luz que oscuridad. En este proceso, a medida que ganamos una sensación de dominio sobre *nuestra respuesta* al contenido del sueño aterrador, aprendemos a confiar en que podemos movernos del miedo a la libertad, no solo en nuestros sueños, sino también en la vida.

Los orígenes de la palabra *pesadilla* en inglés, *nightmare* [literalmente «yegua de la noche»], deben buscarse en tradiciones folclóricas anglosajonas y escandinavas antiguas. Cuenta la leyenda que Vanlandi, un rey sueco, guerrero de renombre, quedó, sin saberlo, bajo la maldición de una hechicera a quien había disgustado. Esa noche, mientras dormía, exclamó que «una yegua lo pisoteaba».[4] Sus guardias pudieron ver la aparición sofocando su cabeza, pero cuando avanzaron hacia él para echar a la yegua, esta le pisoteó las piernas y los pies, causándole la muerte.[5] El rey Vanlandi carecía de un contrahechizo, un amuleto que pudiera protegerlo, y así no pudo expulsar a la yegua, que lo ahogó y lo aplastó.[6] Metafóricamente, esta historia nos recuerda que las pesadillas nos cogen desprevenidos, y que cuando «nos pisotean», podemos experimentar dificultades para respirar o parálisis en nuestros miembros. Podemos incluso temer por nuestra vida.

También es posible que el rey haya sufrido de una condición médica llamada apnea del sueño, en la que las vías respiratorias se ven obstruidas periódicamente durante la noche. Esta condición puede constituir una amenaza para la vida, y pesadillas frecuentes de sofocación o ahogo nos estarían alertando sobre este desorden fisiológico. También es importante ser conscientes de que las pesadillas, cuando ocurren con frecuencia, incluso varias veces en una misma noche, y causan insomnio y malestar, pueden estar asociadas con un desorden crónico del sueño conocido como parasomnia. Tales trastornos están fisiológicamente motivados y podrían requerir intervención médica.[7]

De acuerdo con un estudio de 2019, no todos los «malos» sueños deberían ser considerados patológicos. Tras identificar las secuelas neuronales del miedo tanto en el sueño REM como en la vigilia, los investigadores alistaron 89 participantes para llevar un registro de sus sueños por una semana. Posteriormente y durante la vigilia, estos individuos eran colocados en una cámara de resonancia magnética por imágenes y se les mostraban imágenes perturbadoras para observar la reacción de sus cerebros a los estímulos negativos. Los investigadores descubrieron que cuanto más miedo había experimentado la gente en sus sueños durante la semana previa, menor reacción al miedo mostraban sus escáneres cerebrales.[8] No obstante, el estudio también confirmó que si el soñador se sentía avasallado por el miedo en su sueño —si la pesadilla era aterradora—, lejos de aportar potencialmente algún beneficio en la vigilia, el efecto era negativo. Este estudio preliminar de las secuelas del miedo en sueños y durante la vigilia respalda la teoría de que los sueños pueden tener un papel regulador, moderando nuestros temores, y podría allanar el camino para futuras investigaciones sobre la base de resultados clínicos. Para citar a Lampros Perogamvros, uno de los investigadores involucrados en el estudio: «Los sueños podrían ser considerados como un entrenamiento real para nuestras reacciones futuras y podrían prepararnos potencialmente para enfrentar peligros de la vida real».[9]

El temor existencial de sentir nuestra vida amenazada subyace en muchos sueños aterradores, y presagia nuestra posible reacción a la realidad de la muerte, ya sea la propia o la de un ser querido. Sin embargo y aunque parezca paradójico, enfrentar el hecho de que la muerte es parte de la vida ha sido reconocido tradicionalmente como un incentivo para apreciar el verdadero don de la vida. A lo largo de la historia, filósofos, poetas y maestros espirituales han dedicado profundos pensamientos a esta paradoja.

Platón, en su *Fedro*, recoge estas palabras de Sócrates: «Los auténticos filósofos hacen del morir su profesión».[10]

Aunque podemos intentar evadirnos o negar pensamientos de muerte, las pesadillas forzosamente nos llaman la atención sobre nuestra vulnerabilidad existencial, sacudiendo la ilusión de control que nos gusta pensar que tenemos sobre nuestras vidas. Las pesadillas también nos obligan a considerar de nuevo las grandes preguntas de la existencia: ¿Qué es lo que más nos importa? ¿Qué bloquea nuestra voluntad para actuar? ¿Cómo nos mantenemos serenos bajo presión? ¿Cómo podríamos sentir, vivir y amar más plenamente, menos temerosamente? Las situaciones de pesadilla nos instan con urgencia a desarrollar el valor necesario para superar nuestros temores. Cada noche, cuando nos rendimos al dormir y al soñar, se nos da una oportunidad renovada para volvernos conscientes de la visión limitada que tenemos de nosotros y del mundo a nuestro alrededor, abriendo el camino a una comprensión más empática y más amplia del ciclo natural de nacimiento, vida y muerte.

Hace ya tiempo, trabajé durante dos años como voluntaria en la guardia de un hospital donde pacientes terminales recibían atención durante las semanas previas a su muerte. Allí descubrí que mucha gente desahuciada que se está acercando al misterio de la muerte agradece el compañerismo, por breve que sea, mientras espera lo inevitable. Junto a estas personas aprendí mucho sobre cómo apenas unos pocos momentos de solicitud pueden crear un espacio espiritual, que ayuda a aliviar el temor y brinda una nueva sensación de calma que fortalece tanto el vivir como el morir.

Una mañana en la guardia, las enfermeras me pidieron que pasara un tiempo con John, un joven que tenía un tumor cerebral, al que describían como «agitado» y «confundido». Al entrar en su habitación, lo encontré acostado en su cama, con los ojos cerrados, sacudiéndose de un lado al otro y gritando incomprensiblemente, como atormentado. Me senté junto a su cama e intenté descifrar sus palabras. Finalmente, comprendí lo que estaba diciendo: «¡Tengo que marcharme! ¡Tengo que marcharme!». Me acerqué, tomé su mano y le pregunté: «¿Marcharte de dónde?». Él contestó: «Marcharme de esta vida». Luego gritó: «Estoy muriendo, estoy muriendo, pero eso está bien, ¿verdad?». «Sí», le dije, «está bien». Me dijo que los trenes seguían pasando y él no conseguía subir. Abordando la situación como si fuese un sueño lúcido, contesté: «No te preocupes. Tienes un billete, y cuando llegue tu tren no tendrás problema en subir a él». John se calmó y dijo: «Sí, sí, tengo un billete».[11] Pareció muy aliviado y se echó hacia atrás para dormir pacíficamente. Con la seguridad de que tenía su «billete», se mantuvo calmo hasta que murió, unos días más tarde.

En un replanteo de nuestra comprensión de la muerte, es también relevante el descubrimiento de un análisis pionero de más de 300 experiencias cercanas a la muerte (ECM) de Peter y Elizabeth Fenwick: el 82 % de los participantes en el estudio aseguró que sus ECM disminuyeron o incluso eliminaron su temor a la muerte.[12] En consonancia con esto, durante mi voluntariado en el hospital para enfermos terminales, conocí a un hombre mayor en la sala de pacientes que compartió una experiencia similar conmigo. Me preguntó: «¿Cree usted que hay una vida en el más allá?». Tan pronto como respondí «Sí», él levantó su puño y exclamó: «Bien, le diré que no lo creo, lo *sé*». Y continuó:

> Me han operado de un tumor cerebral. Quería morir. Tenía mucho dolor. Y de hecho morí en la mesa de operaciones. Vi el otro lado, lo vi, y ahora no estoy en absoluto asustado. Sé que hay algo allí. Vi a mi nieto muerto y a mis viejos amigos. Algunas personas aquí le temen a la muerte, pero les digo que no tienen que temer. Es como ir al bar a encontrarte con tus amigos. Eso es todo.

Hizo una pausa y me preguntó si le creía. Le aseguré que sí. Él explicó: «No hablo de esto en mi casa. Creen que estoy loco». Le conté un sueño que había tenido, en el que veía a mi propia madre en el «otro lado». «¡Eso es!», exclamó, «¡Es real!». Su declaración «no lo creo, lo sé» me recordó las palabras de Carl Jung, quien, cuando se le preguntó en sus últimos años si creía en Dios, replicó: «No necesito creer; lo sé».[13]

Por extraño que parezca, cada respiración refleja el ciclo de la vida y la muerte, porque el aire mismo del que dependemos nos acerca un poco más a la muerte cada día. Sin oxígeno morimos, pero la transformación de oxígeno en energía deja derivados de oxidación en nuestros cuerpos que al final conducen a la muerte celular.[14] Como cada cosa viviente posee mitocondrias que dependen del oxígeno, la muerte está estrechamente vinculada con el sistema. Si bien la muerte tiene una rotundidad terrible para muchos, pocos de nosotros hacemos las paces con ella antes de que llegue, y en cambio luchamos contra el «dejarse ir» hasta el último momento.

Hay otra clase de muerte que necesitamos enfrentar en la madurez y que consiste en la muerte de un viejo modo de ser, se trate de una actitud mental arraigada o de un patrón de comportamiento. Simbólicamente, «perdemos» nuestra vida para encontrarla. Si somos capaces de hacer esto, la energía liberada transforma nuestros sueños y nuestra vida para bien. Si pensamos en la muerte como una transformación de energía, cuando algo «muere», una buena parte de energía vital es liberada en el proceso, así como las hojas que caen en otoño aportan nutrientes a la tierra para que los árboles crezcan en la siguiente primavera.

A continuación ofrezco dos ejemplos de trabajo terapéutico con pesadillas para ayudar a transformar la energía emocional bloqueada por el miedo en cambios de vida positivos. El primero es de Ángela, a quien hemos encontrado en capítulos anteriores. En el momento de este sueño, ella buscaba la manera de encontrar tiempo para desarrollar su creatividad, pero seguía frustrada por unos horarios muy cargados y una verdadera falta de tiempo y espacio real para sí misma.

> Voy de vacaciones a Francia en un barco estrecho. Mi hermana me da un mapa de la zona. Sé que voy a navegar un río pero ahora, mirándolo en el mapa, me doy cuenta de que muy pronto el río se convertirá en una cascada, una caída enorme, exactamente de un millón de centímetros,[15] ¡la altura de un rascacielos! Me horrorizo porque veo que no es seguro, que es algo que no quiero hacer..., pero el mapa es tridimensional y está vivo. Me muestra que todos los barcos que avanzaron hacia la cascada resultaron ilesos. Puedo verlos retomar su navegación a lo largo de un tranquilo río en una pieza.

Ángela despertó terriblemente asustada, porque si bien la escena desplegada en el mágico mapa 3D le producía curiosidad por el viaje, tenía la certeza de que la cascada la destruiría. Sin embargo, el poder numinoso de la caída de agua podía ser indicio del potencial de una curación profunda. Más tarde estuvimos de acuerdo en acometer el proceso de sueño lúcido juntas.

Cuando Ángela volvió a entrar en el sueño, pude ver, por su expresión, que estar en el barco en sí mismo le daba placer; por lo tanto, para ayudarla a sentirse segura, le sugerí que se concentrara en esos sentimientos. Al hacerlo, Ángela tuvo sensaciones de libertad y de misterio, particularmente perceptibles en su garganta y cuello. Para reforzar la sensación de seguridad, le pedí que escogiera una palabra sagrada para repetirse a sí misma. Cada vez que el miedo tensaba su cuerpo, hacíamos una pausa para que respirase profundamente y repitiera la palabra sagrada hasta conseguir relajar de nuevo el cuerpo. Cuando esto ocurría, le recordaba que era un sueño y que no tenía que sentir miedo.

Mientras continuábamos con esta narrativa onírica, el barco se acercaba al borde de la cascada. Una vez allí le pedí que congelara esta imagen en el ojo de su mente y que registrase los sentimientos que despertaba. «Muy traicionero», respondió. Cuando le pregunté si recordaba este sentimiento en su vida despierta, describió la época en que su pareja fue diagnosticada inesperadamente con cáncer, del que murió al poco tiempo.

Una vez que Ángela estableció esta conexión y fue capaz de reconocer su dolor, se sintió preparada para dejarse llevar hacia la catarata junto con sus sentimientos profundos y sus lágrimas. Al hacerlo, sintió una poderosa liberación de energía en el estómago, es decir, en su plexo solar. Nos demoramos un tiempo en este sentimiento, para permitir que la cubriera. La tensión abandonó su cuerpo y se quedó sentada tranquilamente por unos minutos, hasta que dijo que estaba lista para salir de la experiencia.

Le pregunté cómo aplicaría el sueño lúcido a su vida. Ella respondió que a partir de Año Nuevo se reservaría un día libre a la semana. «La idea es dedicar un día a *ser* en lugar de a *hacer*», explicó. «No permitiré nada: ni trabajo, ni burocracia, ni siquiera correos electrónicos. Un pequeño paso, pero difícil de dar.»

Lo que Ángela comprendió habla por muchos de nosotros. En su caso, el trabajo de sueño le dio confianza para tomar una acción decisiva; después de todo, se enfrentó al miedo de que su dolor la superase. No solo sobrevivió a la caída por una inmensa catarata, sino que accedió al poder de este salto de agua, desplazándose desde sus propias limitaciones condicionadas hacia la comprensión de cómo quería que cambiase su vida.

En un sentido figurado, Ángela descendió a la parte más íntima de su ser. El descenso alquímico hacia «la parte más profunda de la tierra» involucra lo que los alquimistas medievales llamaban *mortificatio*, la descomposición o «muerte» de una sustancia básica, pictóricamente representada en imágenes de desintegración y destrucción.[16] Este proceso de mortificación debía ocurrir antes de que la química de un nuevo elemento pudiese producirse. De manera similar, en la alquimia de los sueños tales imágenes suelen hablarnos de la «mortificación» de *una manera de pensar sobre nosotros o los demás*, una actitud que mantenemos en la vida despierta y que ya no nos hace bien.

El proceso de sueño lúcido de Ángela rastreó los sentimientos asociados con su cuerpo físico, dándole una personificación a sus sentimientos. Más tarde, ella también hizo un dibujo de su zambullida en la cascada. «Cada vez que lo miro», dice, «me siento llena de energía, sobre todo en el plexo solar. Tengo una sensación de libertad, de que mi fuerza vital despierta». El movimiento del miedo a la libertad en el proceso de sueño lúcido de Ángela no solo ilustra la transformación de su miedo, sino también la recuperación de su confianza y, lo que es más importante, el desarrollo de su voluntad.

Si bien no podemos percibir la voluntad de Ángela directamente, la sentimos a través de las decisiones que cambiaron su vida y que tomó como resultado del trabajo con el sueño. Una voluntad plenamente desarrollada aprovecha el poder necesario para lograr nuestros objetivos. Para ello, necesitamos equiparar nuestra propia voluntad personal con lo que Roberto Assagioli, fundador de la psicosíntesis, denomina la voluntad «transpersonal» o «elevada», que nos ofrece la capacidad para actuar con compasión hacia nosotros mismos, los otros y toda la creación.[17]

Tal como señaló el psicólogo Mark Thurston, podemos aplicar la voluntad transpersonal para superar nuestros miedos en la vida onírica tanto como en la vida despierta.[18] Podemos hacerlo, como Ángela, a través del sueño lúcido o, como veremos, *en el curso del sueño mismo*. En la medida en que nos alejamos de nuestro temor inicial, el ser conscientes de ello nos empodera para realizar acciones decisivas y para acceder a la Sabiduría Superior necesaria para desplazarnos del miedo a la libertad.

Una vez equiparados con la voluntad transpersonal, nos liberamos de las limitaciones del yo y nos abrimos en cambio a la belleza, la compasión y el amor. Ese es el Poder de la Voluntad, muy distinto a la voluntad de poder del yo. Esta voluntad se produce como expresión natural del auténtico yo de una persona. Entonces, como un ave, cada uno de nosotros sabe intuitivamente cómo comenzar a volar.

El segundo ejemplo proviene de una secuencia de tres sueños de Rachel, anteriores a su sueño del cuenco pintado, que compartió con nosotros en el capítulo cinco. Estos sueños tuvieron lugar durante una época de ataques terroristas en el Reino Unido.

> Un terrorista se acerca. Planeo con bastante calma cómo protegerme y me pongo de acuerdo con una mujer para esconderme acostada bajo su asiento en el piso. Estoy satisfecha con mi plan, pero me doy cuenta de que ella es demasiado pequeña y podría mover las piernas, dejándome expuesta. Decido que es un riesgo que debo tomar.

De acuerdo con la profunda reflexión de Rachel, «aquí hay una fuerza que proviene de dentro del yo, una fuerza de miedo y de necesidad de protección. Esconderse tras las piernas de otra persona sugiere a un niño pequeño que experimenta terror durante un ataque. Sin embargo, hay un grado de aceptación y de entrega a la situación: hay protección suficiente y es necesario resignarse a correr el riesgo».

En este sueño, vemos el despertar de la voluntad de Rachel en su aceptación del riesgo y en su decisión de asumir una acción evasiva. Al mismo tiempo, en su vida despierta, el sueño la impulsó a explorar un episodio traumático de su infancia, que influyó en sus reacciones adultas toda vez que se sintió vulnerable.

En el segundo sueño, el nivel de amenaza percibido se ha incrementado:

> Hay un hombre en mi puerta, que es de vidrio y está entreabierta. Veo que lleva un cuchillo y un revólver en una mano y un contenedor de agua en

la otra. Está aquí para atacar, pero le lleva tiempo prepararse antes de colarse por la puerta. Primero debe usar el agua de alguna manera para preparar la detonación de su arma. Escapo temiendo lo que pueda ocurrir.

En el segundo sueño de la serie, Rachel vuelve a asumir una actitud evasiva, pero con la sensación de que debería enfrentar al desconocido invasor. De acuerdo con esto, más tarde emprendió conmigo el proceso del sueño lúcido. Esta vez, cuando intentó escapar, se encontró con agua hasta las rodillas, lo que le dificultó el movimiento. Pero decidió esperar en lugar de correr, concentrándose, bajo mi guía, en calmar su respiración. Le aseguré que no corría peligro, que no era necesario temer y que en cualquier momento podíamos elegir detener el proceso. Al elegir continuar, tras una pausa, estalló en risas. «¿Qué ha pasado?», pregunté. Me explicó que el hombre había sumergido el revólver en el agua para llenarlo. En un destello comprendió que el «revólver» era en realidad una pistola de agua incapaz de hacerle daño.

La revisión de este sueño requirió que Rachel enfrentara al hombre armado y activara su voluntad de no huir. Como resultado, obtuvo un poderoso sentimiento de libertad que cambió por completo su experiencia del sueño original.

En sus reflexiones al respecto, Rachel asoció el elemento líquido con sus sentimientos, con las lágrimas no derramadas. Reconoció que su miedo real era el impacto de sus propios sentimientos —la bala del revólver— y que necesitaría reconocer esos sentimientos para desarmarlos.

Entonces, Rachel recordó una experiencia de infancia, a los once años, en un internado católico donde una monja la acusó pública y cruelmente de ser «malvada» en una reunión de profesores y alumnos. Lo describió como un traumático «asesinato de personalidad».

A partir de esta experiencia aprendí a pulir el arte de contener mis respuestas emocionales, y eso me dio una sensación de gran poder, protección y bienestar para atajar el dolor... Ahora es el momento de permitirme la conexión con un yo vulnerable y rendirse a la amenaza que se plantea, porque esa amenaza ya no se dirige a mí como lo hizo a mi yo de once años.

Este sueño y el subsiguiente trabajo de sueño llevaron a Rachel a la conclusión siguiente: «No necesito proteger mis heridas. Imperfección y vulnerabilidad son parte de la vida y del ser humano».

Poco después, Rachel tuvo el siguiente sueño:

Me encuentro en una habitación a oscuras. La puerta se abre y hay una sensación de inevitabilidad. Entra la sombra de un hombre con ametralladora. Levanto las manos en señal de rendición y camino hacia la ventana, de espaldas a él. Veo el dibujo de mi propia sombra proyectada por la media luz de la ventana.

El hombre está aquí para asesinarme. Pertenece a ISIS. Le digo que puedo adorar a Alá. Es un intento por salvarme, pero también para que sepa que soy una persona espiritual. La ejecución se posterga un día. Noto que estoy tranquila pese a las circunstancias.

Rachel consideró este sueño como un «abrazo» tanto de los aspectos espirituales y masculinos de sí misma, como de los acontecimientos del mundo despierto.

Notablemente, en este sueño ella permanece en calma. Al dar la espalda al terrorista y decirle que ella también puede adorar a Alá, Rachel expresa una apertura libre de dogmatismo, a la vez que advierte su propia calma en el diálogo: *un movimiento hacia el acto de voluntad consciente dentro del sueño.*

Después de este sueño, Rachel se sintió menos temerosa no solo de las amenazas terroristas reales que había por entonces, sino también en términos de revelación de su vulnerabilidad. La secuencia de sueños le permitió la expresión del miedo y cómo enfrentarlo, tanto en sueños como en la vigilia, a través del ámbito seguro del marco terapéutico.

Los temas de una pesadilla del mundo despierto a menudo se cruzan en nuestros sueños, desafiándonos a elevarnos por encima de nuestros temores individuales y a asumir la acción de una respuesta. Los sueños de personas que vivieron bajo el opresivo régimen nazi en la Alemania de los años 30 y 40 ilustran poderosamente tanto la capacidad de producir temor de aquellos tiempos como el poder de la voluntad.

Durante el ascenso del nazismo en Alemania, la periodista Charlotte Beradt, de origen judío, despertaba empapada en sudor de una pesadilla recurrente en la que corría sin aliento por el campo, ocultándose en lo alto de torres y en cementerios, en su huida de los *Stoßtruppen* (soldados de asalto) que querían torturarla y matarla. Cuando despertaba no podía dejar de preguntarse si otros compartirían sus temores. En respuesta a su sueño, comenzó a recopilar sueños de gente que vivió bajo el régimen nazi.[19]

Con gran riesgo de su vida, Beradt se las arregló para contrabandear los sueños que había reunido en la Alemania nazi mediante un código que disimulaba su contenido, que iba oculto en libros que fue enviando a sus amigos en el extranjero. En 1939 huyó a Estados Unidos, donde finalmente reunió los sueños en un volumen, primero publicado en Alemania en 1966, y dos años más tarde, en inglés, bajo el título: *El Tercer Reich de los Sueños: las pesadillas de una nación, 1933-1939*.[20]

Beradt explora la manera en que la atmósfera de temor creada por el brutal totalitarismo del mundo exterior entró en la vida onírica de la nación, y cómo estos «diarios de la noche» aparentemente les eran «dictados por la tiranía».[21] Beradt incluye numerosos sueños en los que la gente quiere actuar contra el régimen, pero falla en sus intentos. Un hombre soñó que decidía poner por escrito una queja formal contra el gobierno, pero acababa metiendo una hoja en blanco en el sobre. Recuerda haberse sentido orgulloso y avergonzado a la vez. Una mujer soñó que intentaba llamar a la policía para hacer una queja similar, pero se daba cuenta de que no podía articular palabra una vez que le contestaban en el teléfono. Con estos sueños, Beradt ofrece ejemplos de la voluntad atrofiada «bajo la sensación de riesgo constante».[22]

La cualidad pesadillesca de estos sueños surge de la tensión entre el deseo del soñador por actuar de acuerdo con su conciencia y el temor de hacerlo. El conflicto puede ser extremo, como el sueño de un hombre que se quiebra la columna vertebral en la infructuosa resistencia a levantar el brazo derecho para efectuar el requerido saludo nazi a Goebbels.

Beradt también cita sueños de gente cuya fuerza de voluntad superó sus temores. Una mujer activa en la resistencia, por ejemplo, soñó que era perseguida por los nazis, a los que terminaba perdiendo después de saltar balcones y deslizarse hasta una calle cercana a un café. Allí, dos hombres hablaban por lo bajo. Uno decía: «debemos protestar la transacción», usando la palabra «transacción» como código para las acciones del régimen. El otro respondía: «no se puede». Impávida, la soñadora decide reclutar a ambos hombres para su causa, apoyando las manos sobre sus hombros y empujándolos con ella. Los tres gritan: «¡tenemos que protestar!»[23] docenas de veces al unísono, mientras otros observan asintiendo, pero sin unirse a ellos. Al despertar, la soñadora sintió la necesidad de continuar repitiendo estas palabras para fortalecer su decisión. Este sueño muestra a la fuerza de voluntad venciendo a la ambivalencia, expresada en el sueño por el diálogo entre los dos hombres.

La gente que desafió al régimen nazi enfrentó la prisión, la tortura y la muerte. Pero aquellos que no podían oír la llamada a la acción de sus sueños también sufrieron, pues sobrellevaron una «muerte en vida», mientras el régimen nazi invadía tanto la vida despierta de los soñadores como sus sueños. En un comentario a los sueños recogidos por Beradt, el psicólogo Bruno Bettelheim observó:

> Aquellos que al menos (o en particular) podían decir «sí» o «no» en sus sueños claramente no se verían desgarrados en su vida interior por parte de la realidad externa. Pero en la medida en que la mayoría carece de un «sí» inequívoco o de un «no» igualmente definitivo, el riesgo de otro Tercer Reich que subyugue nuestra vida interior y exterior sigue presente.[24]

Antes que considerar las pesadillas como algo temible, podemos comprender los malos sueños como desencadenantes que nos desafían a desarrollar la Máxima Voluntad. El trabajo de sueño facilita la emergencia de estas cualidades. Para alentar este desarrollo, también podemos realizar prácticas para calmar la mente y ponernos en contacto con nuestra fuerza interior y espiritual, por ejemplo la meditación, la repetición de una palabra sagrada, los ejercicios de respiración y oración: yoga de cuerpo y mente que «aquieta» lo que los yoguis llaman «el movimiento en la conciencia».[25] Si se necesita más ayuda, podemos buscar apoyo adicional, comenzando una terapia para explorar no solo la fuente de nuestro miedo, sino también para desarrollar las cualidades necesarias para salir adelante.

El desarrollo de nuestra voluntad y la capacidad creciente para volvernos más lúcidos en nuestros sueños van de la mano, como lo revela esta pesadilla propia.

> Mientras camino por una calle residencial en un día soleado, un hombre que no conozco se me acerca, surgido de la nada, y me sobresalta. Lleva una ancha espada desenvainada y la ha levantado para herirme. Estoy aterrada y paralizada por el miedo, convencida de que el hombre va a matarme. Inesperadamente, al mirar la espada en equilibrio antes de que caiga, me siento movilizada por su fuerza y su belleza deslumbrante, así como por su presencia incongruente en un ámbito suburbano... Impactada por esta belleza, me doy cuenta de que estoy soñando. Me arrodillo y digo «no tengo miedo», inclinando la cabeza.

En el momento en que presté atención a la belleza, también me volví lúcida y ya no tuve miedo de la «muerte». Mi respuesta emocional a la belleza venció la convicción de mi mente consciente de que la espada era un instrumento de destrucción, permitiéndome ir más allá de mi miedo instintivo y sintonizar con las cualidades inherentes a su belleza: equilibrio, armonía y proporción.[26] Como resultado, mi *forma de ser* antes que mi *manera de pensar* configuraron mi relación con el hombre y su espada. De rodillas ante la Belleza, incliné mi cabeza, liberada del miedo. El resultado fue un desenlace que no podía haber previsto.

> Para mi sorpresa, el hombre hace la espada a un lado y, bajándola lentamente, la apoya sobre mi coronilla. Recibo este suave contacto como una bendición, una apertura...[27]

Reconocer la bondad y la belleza en tiempos de adversidad sigue siendo una lección que continúo aprendiendo en los sueños y en la vida cotidiana.

El sueño lúcido que acabo de ofrecer de ejemplo me sirve para introducir el siguiente capítulo, dedicado a su práctica. Pero si bien los sueños lúcidos pueden ser una poderosa herramienta para el tratamiento de las pesadillas,[28] basta tan solo con *creer* que no tenemos que sufrir a causa de nuestras pesadillas,[29] o simplemente ponerlas por escrito, para que su frecuencia e intensidad se reduzca.[30]

A medida que desarrollamos la capacidad de enfrentar nuestros temores en los sueños, estamos mejor preparados para lidiar con ellos en la vigilia, tanto individual como colectivamente. La humanidad tendrá que apelar a esta capacidad para enfrentar los escenarios de pesadilla del mundo de hoy, que nos desafía a ejercer y expresar nuestra

Máxima Voluntad, a fin de no vivir en el miedo y la aversión, sino en la confianza y el amor.

De esta forma podemos generar una curiosidad por nuestros temores y preguntarnos de manera más tolerante qué quisiéramos preguntarles y qué es lo que ellos nos preguntarían con tanta urgencia. Si después de leer este capítulo te sientes preparado para recordar un sueño en el que te hayas sentido perseguido por el temor —sea cual sea la forma opresiva que pueda haber asumido—, tómate un momento para preguntarle: «¿Por qué me persigues? ¿Qué quieres de mí?» y ver qué respuesta surge. Con tan solo articular estas palabras puedes liberarte del férreo dominio del miedo y comenzar a moverte hacia la libertad. Si la sensación de temor persiste, también puedes decirle a tu miedo: «No tienes poder sobre mí».

Al afirmar íntimamente la Máxima Voluntad, en lugar de sentir que una espada pende peligrosamente sobre nosotros, podemos encontrarnos con lo que tememos y darnos cuenta de que «esto es un sueño. No tengo que temer».

10

Viajes a lo profundo: sueño lúcido y entrega lúcida

...pues a menudo, cuando dormimos, hay algo en la conciencia que declara que lo que entonces se le presenta no es otra cosa que un sueño.[1]

Aristóteles

Para preparar nuestro viaje a los sueños lúcidos, te invito una vez más a buscar un sueño en tu memoria, cualquier sueño que hayas considerado importante. Hemos comenzado el primer capítulo buscando una caracola en la orilla del mar. Así como en ese momento tenías el misterio de esa caracola en tu mano, ahora haz que este sueño gire ante el ojo de tu mente, explóralo con la lente de una nueva profundidad, obtenida de la lectura de este libro. Analiza el sueño en todos sus aspectos: formas, colores, luz, sensaciones, pensamientos, acciones, emociones y esencia.[2] ¿Qué puede aportar este sueño a tu comprensión de ti mismo y de la vida? Por ahora, mantén el sueño al alcance de la mano, como una pequeña caracola metida en el bolsillo, pues volveremos a él más tarde, a la luz de nuestro viaje por los sueños lúcidos.

Cada caracola vacía que encuentras en la playa alguna vez albergó una criatura viviente. De modo similar, la energía, el movimiento y el significado dan vida a tus sueños. Accedemos a esta fuerza vital cuando volvemos a visitar nuestros sueños a través del trabajo con ellos. Pero hay otro modo, más directo, de involucrarnos conscientemente con nuestros sueños a través de la práctica del sueño lúcido, esto es, volviéndonos conscientes de soñar mientras el sueño todavía tiene lugar.

Durante un sueño lúcido podemos parecer «dormidos» para el mundo exterior, pero por dentro hemos «despertado», a veces de modos sorprendentes, como me ocurrió en este sueño:

> De pronto me despierto en mi cama, donde he estado durmiendo, sorprendida al notar que el techo inclinado del ático, pintado de un azul pálido, se ve ahora encendido por la luz. Me siento confundida mientras una clara luz matinal llena la habitación, a pesar de que las cortinas estén bajas y de que sé que es noche profunda. Entonces tomo conciencia de que sueño en realidad. En ese momento, veo que la luz emana de una figura al pie de la cama. Al instante reconozco a Jesús. Se me aparece en una radiante túnica blanca, iluminada por dentro, y extiende las palmas de sus manos abiertas hacia mí. Tanto su humanidad como su divinidad están plenamente presentes. El poder de su presencia me abruma y despierto del sueño.

Este sueño marcó el comienzo de un período de doce años en los que experimenté sueños lúcidos cada vez más largos, a menudo durante una misma noche o en la misma semana. Las reflexiones que presento a continuación sobre el sueño lúcido derivan, en primer lugar, de mi propia experiencia —aún vigente— como soñadora lúcida; en segundo lugar, como guía de sueños que ayuda a otros a desarrollar su conciencia de estar soñando; y en tercer lugar, a partir de las investigaciones científicas en este campo.

En este breve compendio del sueño lúcido, comenzamos en la «superficie», con un repaso breve de cómo la neurociencia ha puesto en evidencia el estado del cerebro lúcido, conceptualizándolo y popularizándolo. Luego exploraremos los diversos niveles de lucidez, sumergiéndonos en las profundidades del sueño consciente hacia la lucidez total, una zona relativamente inexplorada de la experiencia humana.

Nuestro «descenso» nos llevará de las características más comunes de los sueños lúcidos hacia otros sin imágenes, un lugar donde, como lo describen los místicos, solo la luz existe. Allí encontraremos lo que el gran maestro del «yoga del sueño», el budista tibetano Chögyal Namkai Norbu, recomienda: «El objetivo final de la práctica de sueño es hacer que los sueños se conviertan en conciencia; una vez logrado esto —en la instancia definitiva—, los sueños, en realidad, cesan. Usas tu práctica de manera tal que los sueños influyan en tu vida cotidiana».[3] Pero primero comencemos con la ciencia del sueño lúcido, que ha rastreado la huella de la actividad neuronal que sugiere conciencia lúcida durante los sueños.

Si bien solo podemos conocer verdaderamente la conciencia a través de nuestra experiencia subjetiva, los diferentes estados de conciencia pueden ser identificados objetivamente por la medición electrofisiológica de ondas cerebrales a través del electroencefalograma (EEG). En 2009, por primera vez, las fluctuaciones eléctricas en la actividad cerebral durante un sueño lúcido confirmaron que el sueño lúcido era un estado neurológico híbrido, con características de conciencia tanto despierta como dormida.[4] Investigaciones posteriores también sugirieron que el sueño lúcido puede asociarse con ondas cerebrales gamma en la frecuencia de 40 Hz, más comúnmente asociadas con estados de vigilia de gran concentración, antes que con los del soñar estándar.[5]

Durante el soñar normal en fase REM, la actividad cerebral asociada con la excitación emocional y la imaginería alucinatoria aumenta, mientras que la actividad del córtex frontal, normalmente asociada con la capacidad de conciencia y razonamiento reflexivos, disminuye. En cambio, a medida que el soñador cobra lucidez, estas zonas del cerebro «despiertan». En la lucidez, nuestra capacidad de metaconciencia —la conciencia de que somos conscientes— hace que nuestro pensamiento esté mejor afinado y sea más reflexivo.[6] La presencia de ondas cerebrales de una frecuencia de 40 Hz también se halla en la práctica de la meditación, lo que llevó al distinguido investigador en sueños James Pagel a caracterizar el sueño lúcido como «un estado meditativo desarrollado en sueños al que se puede llegar con entrenamiento».[7] Podemos ver que este cambio en la conciencia comienza a tener lugar en uno de mis primeros sueños lúcidos:

> Camino hundida hasta la cintura por un arroyo al pie de las Eastern Sierras. El sol se filtra a través de densos follajes, salpicando de luz la superficie del agua y las arenas doradas del arroyo. A pocos metros delante de mí, una enorme trucha arcoíris nada hasta la superficie y allí se queda. La trucha parece demasiado grande para ser un pez de arroyo. Decido atrapar al pez con las manos, como

solíamos hacer mi padre y yo cuando era joven, pero entonces comprendo que el pez representa el Espíritu y me detengo. Noto que la trucha se ha vuelto hacia un lado, revelando un arcoíris. El pez parece exhausto. «¿Cómo puede el Espíritu estar cansado?», me pregunto. Entonces se me ocurre que el pez también me representa. Ahora me doy cuenta de que si estuviese despierta y entrando al sueño a través del proceso de sueño lúcido, entonces mi guía de sueño me invitaría a tocar el pez. En ese punto, apenas mi dedo está a punto de tocarla, la trucha se lanza aguas abajo. Despierto desconcertada.

El sueño ilustra una figura clave del sueño lúcido: la reflexión del soñador lúcido en su experiencia del sueño mismo.[8] En mi caso me doy cuenta de que en lugar de intentar poseer el pez, necesitaba interactuar con la trucha arcoíris de manera más relacional. Este sueño también muestra lo que los investigadores pioneros en sueño lúcido, Ursula Voss y Allan Hobson, han descripto como la sensación de tener «dos yoes», resultado de una integración dinámica de los estados de vigilia y sueño.[9]

Los avances en tecnologías digitales han llevado a algunos neurocientíficos a conceptualizar el cerebro que sueña como creador de una «realidad virtual» tridimensional: un mundo simulado de sumersión.[10] Aunque esta sea una analogía útil, corre el riesgo de tratar la conciencia como un subproducto de la física, excluyendo la posibilidad de que el soñar pueda poseer su propia inteligencia y cualidades del ser. Más aún, descarta la idea que ahora se plantea en algunos círculos de que, antes que ser un productor de conciencia, el cerebro podría actuar como conductor para nuestra conexión con un «universo consciente».[11] En cualquier caso, nuestra comprensión de los sueños lúcidos se profundizará a medida que las nuevas tecnologías nos abran una ventana a la comprensión más matizada y comprensiva del espectro de conciencias posible *dentro* de la lucidez.[12]

El estado lúcido permite al soñador crear y dramatizar escenas de su elección, con todo el hiperrealismo de la vigilia pero sin sus restricciones, vale decir: volar ingrávido, cambiar de forma física e incluso tener sexo onírico a voluntad. Últimamente algunos estudios también han indicado que el sueño lúcido puede mejorar actividades de la vigilia, como inspirarnos para la escritura creativa[13] y la composición musical,[14] así como mejorar nuestras capacidades motoras, incluyendo ¡lanzar dardos![15]

Desde mediados de los años 70, cuando los soñadores lúcidos usaron por primera vez movimientos oculares planificados para señalar su estado lúcido a los investigadores,[16] la literatura sobre la fenomenología del sueño lúcido ha florecido.[17] Cerca de la mitad de la población recordará haber tenido un sueño lúcido al menos una vez en su vida; no obstante, el porcentaje cae dramáticamente en términos de frecuencia.[18] De acuerdo con esto, encontrar formas para inducir sueños lúcidos «bajo demanda» se ha convertido en una empresa creciente, con muchas publicaciones de «cómo hacerlo» asequible. Las tecnologías incluyen el uso de luz, sonido, estimulación eléctrica[19] o química. Sin embargo, un metaanálisis de treinta y cinco investigadores en inducción de sueños lúcidos sugirió que ninguna técnica ha demostrado resultados consistentes.[20] Aun así, la práctica de la meditación en la vigilia, que alienta una concentración reflexiva y atenta en la «presencia consciente», parece realzar la habilidad del soñador para volverse lúcido con mayor frecuencia.[21]

La definición occidental popular del sueño lúcido describe un estado en el que el soñador se da cuenta de que está soñando *mientras sigue durmiendo* y *puede controlar la narrativa del sueño*. La idea de que nos volvemos lúcidos a fin de «controlar» el sueño por desgracia refleja la visión general de Occidente de que el mundo natural debe ser «controlado» antes que tratado con veneración y utilizado como una fuente de sabiduría.

De hecho, la ambición de la humanidad por «controlar» la naturaleza está teniendo consecuencias nefastas. En tanto la realidad del cambio climático se cierne sobre nosotros, los ajustes a largo plazo de la naturaleza hacen que la explotación humana de la Tierra se revele en su triste miopía. En última instancia, para que la vida en la Tierra sobreviva y florezca, debemos trabajar *con* la naturaleza antes que tratar de dominarla. Debemos dejar que la naturaleza sea nuestra guía.[22]

En el soñar lúcido encontramos un fuerte paralelo cuando nos volvemos receptivos a lo que el paisaje interior del sueño puede enseñarnos. Si trabajamos *con* nuestros sueños en lucidez, también aprendemos cómo trabajar *con* el mundo exterior de un modo más cooperativo y equilibrado, conscientes de que sencillamente no podemos y no debemos intentar controlarlo todo.

En los sueños lúcidos, como en la vida, es tentador dejarse distraer por lo que la fe hindú llama «el velo de Maya»: la superficie continuamente cambiante de experiencia, de modo que quedamos atrapados en la excitación del mundo «virtual» que nos ofrece la lucidez, ya sea volando, comiendo nuestro plato favorito o disfrutando de un sueño sexual. En el proceso, tal como ocurre en la vigilia, podemos ser susceptibles de recrear patrones de vida de escasa utilidad, mientras buscamos colmar necesidades emocionales frustradas. Aun así, cuando la gente pasa tiempo en el sueño lúcido solo divirtiéndose,[23] ese «juego» puede dar a la persona un elevado sentido de la conciencia que contribuye a su desarrollo personal.[24]

De esto se sigue que, al igual que en la vida, la «capa superficial» del sueño lúcido puede ser bien o mal empleada. Pero más allá de los deseos que nos cautivan, las prácticas espirituales alrededor del mundo enseñan que en los estados oníricos reside una experiencia más serena de la conciencia pura, que brinda tranquilidad, alegría y un profundo sentido del Ser. Algo muy distinto a las turbulentas emociones del yo, pues se trata de la naturaleza original del alma.

La tradición sufí, que posee una larga historia en el cultivo de sueños visionarios, identifica esta búsqueda espiritual con la siguiente reflexión islámica: «Yo era un tesoro oculto y ansiaba, anhelaba, deseaba ser descubierto»,[25] refiriéndose a nuestro deseo de conocernos, y ser conocidos, como almas individuales a la vez que como el Alma ilimitada y universal en el corazón de la creación y de los sueños. Cuanto más sentido este anhelo, y cuanto más brote de la compasión y del amor, mayor será la manera en que fortalezca y transforme la experiencia del sueño lúcido.

Para iniciarse en la lucidez que revela el anhelo del alma no necesitamos acudir a apoyos e incentivos externos. Tuve un sueño lúcido que me reveló lo siguiente:

> Asisto a una conferencia en la que un hombre habla sobre los fenómenos de diversas experiencias oníricas que son posibles cuando una persona es conectada a una gran caja negra colocada en una mesa. Mientras continúa, me doy cuenta de que en

> realidad habla acerca del sueño lúcido profundo. Me vuelvo lúcida y me siento impulsada a decir en voz alta: «No necesita esa máquina. Todo lo que necesita es su cuerpo, su mente y su corazón». Me siento terriblemente excitada por esta revelación y entonces despierto.

Una manera de ayudar a desarrollar la capacidad para la conciencia lúcida es entrar a un sueño no lúcido durante la vigilia con la ayuda de un guía de sueño. Podemos volver a vivir el sueño *como si* ocurriera en tiempo real, con el beneficio de la metaconciencia, mientras exploramos el escenario onírico y las emociones en un contexto seguro. Trabajar de este modo con sueños no lúcidos nos ofrece la oportunidad de volvernos más pacientes y atentos. Como ejemplo de este proceso, recuerdo el trabajo que hice con Louise, una mujer cercana a los sesenta años. Louise quería reflexionar sobre lo que sus sueños le decían acerca de una nueva etapa de su vida, por lo que decidió volver a entrar en un sueño en el que se deslizaba en un pequeño bote con remos por un ancho río. Al principio la sensación era bastante placentera, pero luego ella se puso visiblemente ansiosa acerca de adónde se dirigía, y le preocupaba que el bote se diera vuelta.

Para calmarla, la incité a despertar su curiosidad respecto de lo que había mencionado al pasar, previamente: la sensación de una brisa fría en la cara. Mientras imaginaba el viento, ella deslizó suavemente las yemas de los dedos por sus mejillas. Esta sensación la abrió a una profunda conciencia de lo que Louise llamó el «vacío fértil», que la puso en contacto con una profunda sensación de alegría. Louise comprendió que en su temor había dejado pasar el agradable toque de la brisa. Volver a conectar con esta sensación le infundió nueva confianza y le dio energía para lidiar con los cambios por venir.

En otro sueño, Louise nadaba bajo el agua bastante contenta hasta que comenzó a temer no poder respirar y despertó de golpe. En la secuencia de su sueño lúcido, cuando volvió a entrar al agua y se preocupó por la respiración, la alenté para que respirara profundamente aspirando a través de la nariz y espirando por la boca hasta que la tensión en su cuerpo se relajó. Esto le permitió ver el punto en el que reconoció que al usar su facultad de imaginación creativa, pudo representarse a sí misma respirando bajo el agua: ¡una sensación de libertad!

Louise contó que comenzó a tener sueños en los que podía decidir cómo iba a responder a una situación, incluso que podía «rebobinar» el escenario del sueño y volver a experimentar la secuencia más conscientemente la segunda vez. Con el desarrollo de su conciencia del sueño, Louise reconoció que lejos de ser impotente, podía realizar elecciones positivas por cuenta propia. En palabras de Louise:

> Era difícil aprender a no apresurarse, sino más bien a quedarse con los «pequeños momentos» que atesoran tanta riqueza cuando me detenía lo suficiente para estar con ellos. Volverme consciente del aire, que me acariciaba la cara como agua, fue significativo para tratar de reconocer las «llaves» (de la conciencia lúcida), y fue ese darme cuenta de que podía respirar y sentirme en mi elemento bajo el agua. Comprendí que había mucha riqueza en fragmentos de mis sueños que había descuidado porque tenían una menor carga emocional. También comprendí que había aspectos positivos en mí y una habilidad para explorar mi yo más profun-

damente y de modos que no conocía, volviéndome más confiada de mi propio proceso, de su sabiduría y de ser capaz de rendirme a ello.

Mientras podemos aprender a «respirar» con facilidad en nuestros sueños, puede ser un desafío suplementario el involucrarnos libremente con lo que surge mientras nos movemos hacia la lucidez. El siguiente sueño ilustra ese desafío. Trabajé con la soñadora, Vera, como guía de sueño durante un año. Comenzamos con su sueño, seguido por un fragmento del proceso de sueño lúcido que siguió:

> Me encontraba en un puente imponente, adornado con columnas y arcos de hierro negro forjado. Parecía el amanecer, con su luz brillante, pura y pacífica. Delante de mí había un hombre, que por alguna razón tenía que avanzar por el puente. Algo bloqueaba su camino. Se veía como una especie de peldaño, pero elaborado, y no imposible de trepar. El hombre tenía dificultades increíbles para levantar sus piernas y no parecía encontrar la manera de resolverlo. Al mirar hacia abajo, vi algo asombroso: miles y miles de rayas, absolutamente enormes, del tamaño de una habitación amplia. Quedé perpleja con la visión, con los colores de las rayas, la miríada de matices desde el rosa más pálido y los verdes, diáfanos, mezclándose entre sí mientras se movían, con un burbujear plateado entre cada una, pero aun así, sentía que ese era un puente londinense: ¡ese río era el Támesis! Intenté atraer la atención del hombre a esta visión fabulosa: «No se preocupe por eso que está haciendo; ¡mire esto!», exclamé.

Cuando Vera volvió a entrar en el sueño, le pregunté qué quería que viera el hombre en el sueño. Ella contestó:

> La belleza. Algo mágico. El poder. Él no estaba interesado, solo le importaba cruzar la barrera. Yo me sentía atraída a mirar al otro lado, donde encontraba la más increíble visión: una solitaria manta negra, colosal, como mínimo del tamaño de un edificio de cinco pisos. A diferencia de las otras rayas, estaba de costado, a medias fuera del agua, ¡y avanzaba en dirección contraria!

«¿Qué te comunicó el gesto de la manta?», le pregunté.

«Siento que es como está mi vida en ese momento, llena de negrura», respondió Vera, «y sin embargo, hay majestuosidad en todo ello...». Mientras hablaba, Vera hizo un movimiento de barrido con el brazo derecho por el costado de su silla, como si se asomara desde el puente hacia el agua.

«Continúa haciendo ese movimiento», le indiqué. «¿Con qué te conecta?»

«Me hace querer tocar algo», respondió, «estar en contacto con algo».

«¿Cómo sería tocar la manta negra?», pregunté. «¿Puedes imaginártelo? Respira profundo. ¿Cómo responde a tu contacto?»

Ella hizo silencio por un buen rato, balanceando con gracia su brazo antes de responder. «Permite que la toque, no le gusta ni le disgusta. Puedo sentir la ondulación de su cuerpo, elegante, con ritmo, y que quiere transmitirme algo exquisito, ¡como un extraterrestre!» Entonces se turba. «Algo muy misterioso, y además está ese puente sólido, duro.»

«¿Qué significa el puente para ti?», le pregunté.

Ella volvió a hacer silencio, y luego dijo: «Posiblemente el puente sea la realidad, lo terrestre».

Reflexioné. «Te da perspectiva, y en cierto modo establece un contacto entre dimensiones.»

Vera continuó: «La manta vino a mí para que la tocara, y como estaba de lado, medio fuera del agua, y era tan inmensa, podía alcanzarla fácilmente».

«Sí», observé, «la oscuridad de las cosas difíciles que continúan, pero también lo transpersonal que conllevan, la oscuridad, la luz negra, el misterio, todo eso junto».

«De no haber estado de lado», añadió Vera, «la raya lo habría destruido todo».

Como respuesta cito la Cábala, que enseña que «el Absoluto se retiró para permitir la existencia del Ser».

Vera continúa:

> Cuando pienso en el sueño, lo siento como mi vida, tan fijada en la lucha, en la sombría oscuridad apabullante, pero auspiciosa. Me recordó la cualidad de la luz negra, la magia, las dimensiones del más allá, lo transpersonal. ¿Soy yo el hombre en el puente que no puede ver otra cosa más que el esfuerzo? ¿Hay belleza, gracia y delicadeza dentro de mí, que claman por ser liberadas? ¿Tengo el poder y la majestad para sobrevivir a este viaje?

Al principio, a Vera la resultaba difícil ver que aun cuando sus pensamientos le transmitían ansiedad, su corazón estaba, sin embargo, en contacto con el poder de la raya. En este sueño, la apreciación de Vera de la majestuosa belleza de la raya incrementó la conciencia de estar soñando. Al volver al sueño, ella estaba en condiciones de interactuar con la raya *con mayor conciencia y menos temor*, lo que le permitió tomar el poder de la criatura a fin de cobrar fuerza para los desafíos por delante, y cruzar el «puente» hacia una nueva fase de su vida.

En el trabajo de sueño de Louise y Vera podemos ver los comienzos de la entrega del yo a una presencia transpersonal. Stephen LaBerge, reconocido por su trabajo al frente de la investigación en sueño lúcido desde los años 80, ha señalado: «Para ir más allá del modelo yoico del mundo, el soñador lúcido debe ceder el control del sueño —rendirse— a algo más allá del yo».[26] Como veremos, cuando la entrega puede mantenerse e incluso profundizarse dentro de la lucidez, la imaginería del sueño da lugar a un soñar sin imágenes, un «soñar sin sueños», en donde la luz clara, las formas abstractas y una conciencia del amor a niveles cósmicos impregnan el sueño. Pero actualmente, en Occidente, la exploración de esta clase de experiencia dentro del estado lúcido solo ha sido estudiada por un puñado de investigadores y soñadores lúcidos, entre los que me incluyo.[27]

Significativamente, elementos en apariencia menores en los sueños lúcidos pueden jugar un papel clave cuando aparecen. Para Louise, era el roce fresco de la brisa en su cara. Para Vera, la marcada oscuridad de la raya. Mientras continuamos con nuestro descenso en el sueño lúcido sin imágenes, quisiera explorar ahora con mayor profundidad la importancia de la «oscuridad».

En general, se piensa en la oscuridad como ausencia de luz, pero como hemos mostrado en el capítulo cinco, la luz aparece como oscuridad si no hay un objeto sobre el que la luz pueda reflejarse. En las profundidades de la conciencia lúcida, una oscuridad luminosa a la que me refiero como luz negra o luz oscura, prevalece. De esta expansión luminosa de la oscuridad, brotan formas resplandecientes que emiten su propia luz, muy en el estilo de las criaturas bioluminiscentes que brillan en las profundidades del océano.

Para facilitar la comprensión de esta deslumbrante oscuridad y lo que puede enseñarnos, voy a contar tres sueños propios que tuvieron lugar a lo largo de un período de quince años. En esta serie, la imaginería se desplaza de sueños con formas a sueños sin imagen. El primero, que me inició en la presencia de la «luz negra», se produjo poco después de que me mudara de Estados Unidos a Polonia, cuando tenía veinticinco años.

> Camino directamente hacia el mar y advierto que puedo respirar bajo el agua. Mar adentro, llego a un inmenso desagüe negro que gira tan rápido que parece que se moviera en cámara lenta. El agua, del color de la obsidiana, brilla. En la oscuridad resplandecen números con colores vivos y definidos. Ansío tocar la radiante oscuridad, pero al levantar mi mano para hacerlo, el temor me abruma. Tengo la convicción de que si toco el desagüe, el universo entero se desmoronará.

En este sueño inicial, la oscuridad radiante aparece bajo la forma de un desagüe, que me atrae y me asusta a la vez. Mi mente pensante domina el deseo de mi corazón de tocar el desagüe. Si bien soy consciente de poder respirar bajo el agua y de que me veo atraída por el magnetismo del desagüe, recuerdos de infancia traen nuevamente una reacción condicionada de temor en respuesta a una fuerza poderosa, lo cual, en el sueño, es proyectado en el desagüe.

De niña aprendí a creer que cuando expresaba algo profundamente lleno de sentido, en general sería desestimado con impaciencia. Por eso, mi «mundo» podía colapsar. Esta respuesta condicionada continuó en la adultez. Sin embargo, cuando desperté de este sueño, pude reconocer que un poder creativo, más grande que yo, se movía a través del misterioso desagüe y los coloridos números que se arremolinaban en el oscuro resplandor del agua. Este reconocimiento me ayudó a alejar mis proyecciones de temor de la imaginería del sueño. Después de eso, cada vez que lo recordé, me sentí alentada antes que asustada, y fui capaz de expresar lo que me parecía importante con menos miedo.

El siguiente sueño lúcido de esta serie ocurrió doce años más tarde, poco después del sueño de Jesús que abre este capítulo. Por entonces había comenzado las prácticas de psicoterapia y descubrí que los malos sueños que venía teniendo desde la infancia eran de hecho sueños lúcidos. Gracias a mi entrenamiento, tenía ahora la confianza para permitirme la lucidez total. Como resultado, comencé a tener unos sueños lúcidos completamente distintos, algo que nunca antes había experimentado y que ni siquiera había creído posible:

> Conduciendo al pie de las montañas de California un día de verano, pierdo control del auto, que gira bruscamente al costado de la carretera a toda velocidad. Tras un número de intentos fallidos por mantener el auto en el asfalto, me doy cuenta de que estoy soñando y con calma tomo la decisión de no controlar más el coche.
>
> El vehículo va cada vez más rápido hasta que se siente como si se hubiera convertido en una partícula de luz. A lo que parece la velocidad de la luz,

> el auto se precipita hacia una ladera dorada y todo se emborrona. Cuando el coche se golpea contra la ladera, mi cuerpo y el paisaje desaparecen. Todo alrededor se convierte en una oscuridad luminosa en expansión. Una presión y un ruido increíbles se concentran entre mis cejas. Entonces, todo se queda en total silencio y quietud. Sé que he estado soñando y me pregunto si en realidad no habré muerto durante el sueño. Si bien me veo atraída hacia este espacio infinito, con este pensamiento despierto.

Antes de este sueño, había decidido que cada vez que me volviera lúcida confiaría en mis sueños e intentaría aprender de ellos, sin olvidar la enseñanza de Jalil Gibrán: «Confía en tus sueños, porque en ellos encontrarás la puerta de la eternidad».[28] Al dejar que el automóvil tomara el control, ponía esto a prueba deliberadamente. Así es como me sentí capaz de superar mi instintivo temor a la muerte. La desaparición del paisaje y la aparición de la misteriosa oscuridad me dejaron sintiendo más curiosidad que temor. Para entonces, había aprendido por mi cuenta que un sueño, como lo enseñó Ibn Arabi en el siglo XII, «puede ser interpretado dentro del mismo dormir».[29] No obstante, carecía de una comprensión sobre la mejor manera de mantener la lucidez, en particular en sueños sin imágenes.

Más tarde, en la búsqueda del mejor modo de extender y profundizar mi lucidez en sueños, pregunté a uno de mis maestros de sueño qué hacer cuando adquiriera la lucidez. Él se limitó a responder: «Cuando te vuelvas lúcida en un sueño, medita». Siguiendo su consejo, cuando volví a tener lucidez incliné mi cabeza en actitud de entrega.

Descubrí que esta actitud incluye gratitud, súplica, alabanza, adoración y maravilla. Esta «entrega» implica una meditación piadosa en la lucidez, como cantar versos o canciones sagradas o simplemente esperar tranquila y respirar hondo para calmar mi mente. Esta condición del corazón y de la mente permite mantener una actitud receptiva, mientras dejamos que el sueño se despliegue sin intentar ejercer control sobre él. Basándome en diversas experiencias similares, decidí llamar a esta forma de ser en la lucidez «entrega lúcida», un tema sobre el que he reflexionado mucho.[30]

En el momento de la entrega lúcida, el paisaje original inmediatamente se disipa, como barrido por un potente vendaval, develando un espacio infinito sin imágenes, un vacío de luz negra lleno de vientos emotivos y aun extáticos. En tales situaciones, mi cuerpo de sueño también desaparece, para volver a aparecer a veces como oscuridad luminosa o bien como luz de brillantes colores. Pero en esas experiencias no me siento «desencarnada». Al contrario, todos mis sentidos físicos se intensifican junto con mis sentimientos y pensamientos, mientras se incorporan en un sutil cuerpo de luz.

Gradualmente aprendí a profundizar la lucidez, aquietando mis pensamientos así como dominando el temor a la oscuridad, un auténtico miedo a lo desconocido. Aprender a abandonar las proyecciones negativas sobre la oscuridad me liberó, permitiéndome confiar e involucrarme con la oscuridad luminosa y las formas de luz que de ella emergen.

Para la época del sueño lúcido que relataré a continuación, ya había aprendido, gracias a numerosos encuentros con la luz negra, cómo mantener la actitud de la entrega lúcida. A cambio, los sueños me revelaron nuevas visiones, como se ve aquí.

Después de quedarme dormida, despierto y encuentro que mi ser se eleva contra vientos oscuros y es movido por un intenso sentimiento de felicidad. Para mantenerme concentrada, solo puedo repetir «Oh, santo». Sigo concentrada en la repetición de esta invocación, mientras un pequeño agujerito de mi conciencia sigue preguntándose hacia dónde me llevarán los vientos esta vez.

Termino siendo depositada de costado en un sitio silencioso y sin límites donde el viento cesa. Allí estoy rodeada en todas direcciones por un infinito mar negro, brillante, en el que se forman delicados motivos blanco láser y dorados. Me recuerdan a la espuma marina en una noche de luna, aunque es mucho más hermoso. Al ponerme de pie, noto que mis extremidades se ven como siluetas negras contra el fondo.

Cuando entro a este mar, la luz se mueve a través de mí como el aliento y me entrelaza en su poder tranquilizador. Mi agobio y mi separación se disuelven. Soy consciente de que me sostienen y me apoyan. También parece que el mar de luz disfruta de este momento. Sobreviene el pensamiento de que este intercambio es para permitirme completar tareas en la vida y compartir el mar de luz con otros. Después de un tiempo, mi ser de nuevo es transportado por vientos que me devuelven al sueño, hasta que la alarma matutina me despierta.

En la entrega lúcida recibo un intenso alimento espiritual de las formas de luz que encuentro en la luz negra.

Estos sueños me traen a la mente la enseñanza islámica inspirada por las visiones del profeta Mahoma: «Mi corazón ha visto al Señor en la más hermosa de las Formas».[31] Otra enseñanza sufí describe al corazón humano con dos ojos: uno que ve el reino de las formas manifestadas según una luz externa; otro que ve «solo aquello que se hace visible a la luz de la unidad».[32] La misma perspectiva dual del sueño lúcido, en la que el soñador es a la vez observador y observado, puede ser profundamente transformadora. Lo que comienza como una sensación de temor se convierte en empoderamiento. Lo que consideramos una crisis se transforma en un misterio. Lo que experimentamos como una muerte en vida nos lleva a la comprensión de lo eterno interior.

Si ahora regresas tus pensamientos al sueño que recordabas al comienzo de nuestro descenso en las profundidades del sueño lúcido, tómate un momento para reflexionar en el sueño desde una perspectiva más lúcida. Considera por ejemplo los momentos en el sueño a los que has prestado más atención. ¿Había algún pequeño detalle que se te haya escapado? ¿Has perdido la oportunidad de detenerte y mirar al «ser del sueño» directamente a los ojos o llamarlo por su nombre? Usa tu imaginación activa para involucrarte con el ser, o incluso con un objeto que capte tu atención. En retrospectiva, ¿había momentos en que, tras notar alguna inconsistencia o característica inusual, te habrías vuelto más consciente? ¿Hubo instancias en las que habrías querido actuar de otra forma? De ser así, ¿cómo te habría gustado actuar? Esta clase de preguntas nos alientan a desarrollar una profunda lucidez con respecto a las experiencias oníricas.

Al responder a estas preguntas es importante que lo hagamos con compasión hacia nosotros mismos, comprendiendo que los sueños nos invitan a participar en nuestra vida onírica de manera novedosa. Recuerda que si perdemos la oportunidad de actuar como quisiéramos en un sueño, tenemos la oportunidad de hacerlo en el siguiente. Reconoce también que si te resulta difícil entregarte en un sueño, permitiendo que este se desarrolle, te haces, sin embargo, consciente de una nueva dimensión a la que estás siendo invitado a experimentar. Pero si la lucidez se nos escapa, podemos recordar una reflexión que Louise compartió después de su trabajo de sueño conmigo: «Mi actitud hacia los sueños y el trabajo de sueño en fase de vigilia cambió porque he aprendido que la habilidad para soñar lúcidamente no era un fin en sí mismo, sino que aportaba otro contexto en el que poder profundizar la conciencia».

Al aprender a desarrollar la lucidez, nos volvemos capaces de «ver en la oscuridad» y así sentirnos más cómodos con lo desconocido y con el misterio de la vida. Sin dejar de reconocer que gran parte de nuestra existencia queda fuera de nuestro control, podemos estar seguros del conocimiento de que «nos pertenecemos más a nosotros mismos».[33] Al regresar a la vida despierta tras haber estado inmersos en un sueño lúcido, traemos con nosotros una conciencia de la magia de cada momento y del milagro de cada día.

Epílogo: Por un mundo necesitado de sueños

Sueños: respuestas de esta noche para preguntas de mañana.[1]

Mark Thurston

Solo, rodeando el lado oscuro de la luna y sin conexión de radio, el astronauta Michael Collins reflexionó acerca de lo excepcional de su perspectiva mientras observaba a través de la ventana del módulo de comando del *Apollo 11*. Contemplando la luna, donde sus colegas astronautas del *Apollo* habían alunizado, y más allá la Tierra, azul y blanca contra el fondo negro del espacio, Collins reflexionó: «Estoy solo ahora, verdaderamente solo, y absolutamente aislado de toda vida conocida. Lo estoy. Si hiciéramos la cuenta, el resultado daría tres mil millones más dos al otro lado de la luna, y uno más Dios sabe qué de este lado».[2]

Se puede sentir del mismo modo cuando, conscientes de que soñamos, miramos un paisaje de sueño, pero recordando nuestra vida terrestre más allá del sueño. Desde la perspectiva de un sueño lúcido, podemos pensar como Collins que no hay nadie mirándonos. Sin embargo, todo un universo nos espera, vibrante de vida de la que no sabemos prácticamente nada.

Collins regresó a la Tierra con una profunda comprensión de la frágil y silenciosa belleza del planeta, una belleza que erradica fronteras y acalla discusiones. Podemos aplicar esta perspectiva a nuestros sueños, porque cuando exploramos y compartimos nuestros sueños, nos damos cuenta de la naturaleza de nuestra humanidad en común: terrícolas que habitan un planeta maravilloso.

A cincuenta años del primer alunizaje, la población humana casi se ha triplicado.[3] En la medida en que las necesidades y los deseos de la humanidad agotan los recursos terrestres, las heridas del planeta se han vuelto más visibles desde el espacio. Las imágenes satelitales muestran el gris apagado de la contaminación del aire diurno sobre las ciudades, así como el resplandor antinatural de las luces eléctricas por la noche. Las imágenes compiladas con material de archivo en el lapso de los últimos veinte años subrayan dramáticamente la pérdida de bancos de coral, bosques y glaciares.[4]

Solo cambios radicales en las actitudes y comportamientos humanos pueden dar esperanza para el futuro.[5] La reestructuración económica y tecnológica no se producirá sin reflexión, intuición e imaginación, guiadas por la empatía, el valor y la compasión. La conciencia del soñar puede ayudarnos a obtener de ella la inspiración necesaria para superar cosmovisiones limitadas, empoderarnos para transformarnos y transformar el mundo en el que cada uno vive.

Para contener nuestros temores y poder responder con gallardía, aun cuando nos enfrentemos a la amenaza de la extinción de la vida en la Tierra, necesitamos la visión y la profundidad emocional que la conciencia del sueño puede impartir. Prestando atención al mundo interior, nos volvemos capaces de prestar atención al mundo exterior, en un movimiento recíproco.

A veces un sueño nos da un conocimiento terrenal. Consideremos, por ejemplo, el sueño de una criatura de la tierra, el humilde escarabajo. El hombre que compartió el siguiente sueño conmigo venía sobrellevando muchos cambios de vida que lo relacionaban con asuntos mundanos que él nunca podría haber previsto:

> Estaba en una casa donde no dejaban de pasar cosas horribles. Escarabajos negros trepando, escenas desagradables por doquier, como en una casa embrujada. Comprendí que creaba esta perturbación con mi mente y decidí detenerla. Entonces todo pasó a ser correcto... Era yo el que generaba los «embrujos», no los demás presentes. Pero ellos estaban felices de saber que yo había vuelto a la normalidad. Creo que hubo otro sueño anterior esa noche, en el que, desesperado, pedía ayuda a Dios.

Cuando me contaba el sueño, el soñador mostró sorpresa ante lo nervioso que lo ponían los escarabajos. El nombrar la causa de este sentimiento de aflicción fue el desafío que el sueño le dejó para sopesar. Pero el sueño atesora una gran promesa, no solo para el soñador, sino para todos nosotros, porque cuando reconocemos que *nosotros mismos* creamos las perturbaciones con nuestros pensamientos, podemos dirigir nuestra voluntad hacia modos de ser que nos hacen mejores.

Si bien el soñador asociaba las apariciones con los escarabajos, los escarabajos pueden considerarse al mismo tiempo como criaturas vivientes en sí mismas. Los escarabajos son necesarios para la vida en el planeta. Medio millón de especies conocidas van por el mundo eliminando desechos, aireando la tierra y polinizando flores. Su presencia en la naturaleza indica la frescura del agua y la tierra que sostienen la vida. Los escarabajos tienen su lugar en el mundo natural, y los necesitamos para mantener la vida en la Tierra.

Este hombre comentó que, en la época de su sueño, los escarabajos habían invadido su casa pese a sus esfuerzos por atraparlos y sacarlos fuera. El sueño entreteje una preocupación del mundo despierto con la psicología personal del soñador. Pero este sueño se convierte en una oportunidad para que todos consideremos nuestra relación con los «embrujos» que devastan la tierra como consecuencia de nuestros pensamientos y acciones. Los sueños nos recuerdan que también hemos nacido de la Tierra y que no podemos vivir separados de ella.

Resulta alentador saber que en tiempos de grandes crisis los sueños a menudo nos ofrecen un salvavidas. Como este libro comenzó a orillas del mar, te invito ahora a regresar allí, esta vez con un sueño que se desarrolla cerca del mar. La soñadora, una mujer cuyo marido de muchos años acababa de morir, tuvo el sueño durante su duelo, cuando se sentía particularmente deprimida:

> Me veía arrastrada por un ancho y caudaloso río hacia el mar abierto. Era un día de tormenta, muy desapacible, con oscuras nubes cargadas de lluvia sobre mi cabeza. Los árboles en la ribera del río se sacudían con el viento que pasaba a ras del agua. ¡Iba a morir en esa turbulencia! Mientras era arrastrada, oí una voz serena que decía: «Aférrate a la soga», y a mi lado, en el agua, vi el cabo de una cuerda resistente. «Agárrala con firmeza pero sin esfuerzo», dijo la voz. Me aferré a ella de la manera

> indicada; imperceptiblemente, las aguas turbulentas se calmaron, o yo me calmé en medio de ellas. Volví a mirar la cuerda y vi que ya no era el cabo lo que agarraba; se extendía ante mí y por detrás y sabía que solo necesitaba aferrarme a ella para llegar al mar. También sabía que había estado allí siempre. Ya no tenía miedo, y las aguas que antes parecían tan hostiles, arrastrándome al mar contra mi voluntad, ahora parecían amigables.[6]

La mujer añade: «Desperté de este sueño con la sensación de haber descubierto la clave de la vida, el secreto absoluto del ser». Y añade que luego se compró una vieja cuerda, similar a la del sueño, y aferrándose a ella se recostó en la cama en la misma posición que tenía en el agua. Esto la ayudó a aceptar su pérdida y a volver a conectarse con la voluntad de vivir.

A todos los que estemos dispuestos a escuchar, los sueños nos dicen «agarra la cuerda con firmeza pero sin esfuerzo», nos dicen que avancemos en la vida, no con temor, sino con confianza, y que de este modo vivamos el sueño del corazón que ha despertado.

Notas

1. Richard Bach, 1977, 26.

PRESENTACIÓN

1. www.ccpe.org.uk y www.driccpe.org.uk
2. www.helpcounselling.com

INTRODUCCIÓN DE LA AUTORA

1. Adaptado del texto que acompaña al emblema XLII en H. M. E de Jong, 2002, 266.
2. Esta pregunta se inspiró en la que hizo desde Suecia Greta Thumberg, quien a los quince años comenzó lo que se convertiría en un movimiento global de huelgas estudiantiles para detener el cambio climático. Según sus palabras: «¿Cuál es el sentido de aprender datos cuando los datos más importantes que nos dan los más destacados científicos son ignorados por nuestros políticos?». Véase su artículo «I'm striking from school to protest inaction on climate change – you should too», *The Guardian,* 26 de noviembre de 2018, https://www.theguardian.com/commentisfree/2018/nov/26/im-striking-from-school-for-climate-change-too-save-the-world-australians-students-should-too.
3. Me gustaría destacar la inspiración que ha significado para mí Joseph Campbell, un eminente estudioso de la mitología, quien en una entrevista observó que «somos la conciencia de la tierra» y que «el único

mito del que merecerá la pena hablar en el futuro será el mito que trate sobre el planeta... y de quienes lo habitamos». Véase Joseph Campbell y Bill Moyers, 1988, 32.

4. Matthew Walker, neurocientífico especializado en sueño, plantea este punto en un libro que da que pensar: 2019, 280.
5. Un grupo de investigadores que formó equipo con Google Earth utilizó gráficos de colores en imágenes secuenciales para retratar el grado de deforestación de la Tierra desde 2000 hasta 2012. A partir de esta película, se nos ofrece una aproximación visceral a cómo la actividad humana modifica profundamente la Tierra. Las 650.000 imágenes del satélite de la NASA permitieron a los investigadores rastrear la rápida deforestación, que revela la pérdida de 2,3 millones de kilómetros cuadrados de bosque. Cf. M. C. Hansen et al., «High-Resolution Global Maps of 21st-Century Forest Cover Change», *Science*, 342, n.º 6160 (15 de noviembre de 2013): 850-853, doi: 10.1126/science.1244693.
6. Véase la página de internet de la Universidad del Estado de Carolina del Norte, Facultad de Agricultura y Ciencias de la Vida, Departamento de Ciencia de la Horticultura: «Tree Facts», visitado el 8 de agosto de 2010, https://projects.ncsu.edu/project/treesofstrength/treefact.htm
7. En Walker, 2019, 296.
8. Dennis Campbell, «NHS Prescribed Record Number of Antidepressants Last Year», *The Guardian*, 29 de junio de 2017, https://www.theguardian.com/society/2017/jun/29/nhs-prescribed-record-number-of-antidepressants-last year.
9. Estos números se basan en información de la página de internet de la Universidad de Oxford «Our World in Data», Global Change Data Lab, publicado en mayo de 2018 y actualizado en abril de 2019, https://ourworldindata.org/global-mental-health. He aplicado la estadística de uno en siete a la población global de 7.700 millones en 2019. El informe *Investing in Mental Health* de la Organización Mundial de la Salud considera que hay enfermedades mentales en uno de cuatro habitantes (Ginebra: OMS, 2003), 4, https://www.who.int/mental_health/media/investing_mnh.pdf.
10. Organización Mundial de la Salud, Asamblea General de Salud, «Global Burden of Mental Disorders and the Need for a Comprehensive, Coordinated Response from Health and Social Sectors at the Country Level: Report by the Secretariat», 65 (20 de enero de 2012): 4, https://apps.who.int/iris/handle/10665/78898.
11. Independent Mental Health Taskforce para el NHS en Reino Unido, «The Five Year Forward View of Mental Health» (febrero de 2016):10, https://www.england.nhs.uk/wp-content/uploads/2016/02/Mental-Health-Taskforce-FYFV-final.pdf.

12. Andrew J. Watson y James E. Lovelock, «Biological Homeostasis of the Global Environment: The Parable of Daisyworld», en *Tellus*, 35B (septiembre de 1983): 284-289, doi.org/10.1111/j.1600-0889.1983.tb00031.x. También disponible en: http://www.jameslovelock.org/?s=daisyworld.
13. «Amsterdam Declaration on Earth System Science» presentado en «Challenges of a Changing Earth: Global Change Open Science Conference Amsterdam, The Netherlands, July 2001», Global International Geosphere-Biosphere Programme Change (página web), http://www.igbp.net/about/history/2001amsterdamdeclarationonearthsystemscience.4.1b8ae20512db692f2a680001312.html. Cuatro programas internacionales de investigación para el cambio global se unieron para elaborar esta declaración: el International Geosphere-Biosphere Programme (IGBP); el International Human Dimensions Programme on Global Environmental Change (IHDP); el World Climate Research Programme (WCRP); y el International Biodiversity Programme DIVERSITAS.
14. Véase el capítulo dos de este libro para los estudios sobre conexiones entre sueño y bienestar.
15. Véase Eugene Aserinsky y Nathaniel Kleitman, «Regularly Occurring Periods of Eye Motility, and Concomitant Phenomena, During Sleep», en *Science*, 118, n.° 3062 (1953): pp. 273-274, doi: 10.1126/science.118.3062.273.
16. Carl Gustav Jung, «The Practical Use of Dream Analysis», en Herbert Read, Michael Fordham y Gerhard Adler (eds.), *The Practice of Psychotherapy*, vol. 16 (Princeton UP, 1955-1992), parágrafo 330.
17. Plegaria atribuida al pueblo Lakota de América del Norte.
18. Robert A. Emmons y Michael E. McCullough, «Counting Blessings Versus Burdens: An Experimental Investigation of Gratitude and Subjective Well-Being in Daily Life», en *Journal of Personality and Social Psychology*, 84, n.° 2 (2003): pp. 377-389, doi: 10.1037/0022-3514.84.2.377.
19. Citado en Campbell, 1998, 21-22.
20. Véase el iluminador artículo de Anne Baring «Dreams: Messages of the Soul», *Reflections* 11 (1999), consultado el 8 de agosto de 2019, https://www.annebaring.com/anbar16_reflections011_dreams.htm. Baring señala que su versión proviene de la original de Heinrich Zimmer, 1957, 202. El épico *The Dream of the Cosmos: A Quest for the Soul* (2013) de Anne Baring ofrece una profunda compilación de sueños y de los desafíos a los que se enfrenta la humanidad.
21. Sobre los sueños compartidos, véase Robin Shohet, 1985. Shohet señala que «muy a menudo el significado de un sueño solo emerge cuando este sueño es compartido».
22. Campbell, 1998, 34.

CAPÍTULO UNO. EL MAR DE LOS SUEÑOS. UNA EXPLORACIÓN DE LAS PROFUNDIDADES OCULTAS

1. Anne Morrow Lindbergh, 1978, 17.
2. Aserinsky y Kleitman, «Regularly Occurring Periods of Eye Motility», pp. 273-274.
3. Ver T. Horikawa et al., «Neural Decoding of Visual Imagery During Sleep», en *Science*, 340, n.° 6132 (3 May 2013): pp. 639-642, doi: 10.1126/science.1234330.
4. John Lesku, Anne Aulsebrook y Erika Zaid, «Evolutionary Perspectives on Sleep», en Valli y Hoss vol. 1, 2019, 3-26.
5. Walker, 2019, 72.
6. Robert Stickgold, J. Allan Hobson y R. Fosse, «Sleep, Learning, and Dreams: Off-line Memory Reprocessing», en *Science*, 294, n.° 5544 (2 de noviembre de 2001): 1052-1057, doi: 10.1126/science.1063530.
7. Véase Josie E. Malinowski y Chris Edwards, «Evidence of Insight from Dreamwork», en Hoss y Gongloff vol. 2, 2019, 469-478; y Edwards, Ruby, Malinowski et al., «Dreaming and Insight», en *Frontiers in Psychology* (24 de diciembre de 2013), doi: 10.3389/fpsyg.2013.00979.
8. Véase por ejemplo Kozmova, «Emotions During Non-Lucid Problem-Solving Dreams as Evidence of Secondary Consciousness», en *Comprehensive Psychology* (1 de enero de 2015), doi.org/10.2466/09.CP.4.6; y Kahn y LaBerge, «Dreaming and Waking: Similarities and Differences Revisited», en *Consciousness and Cognition*, 20 (2011): pp. 494-514, doi: 10.1016/j.concog.2010.09.002.
9. Considérese el resumen de la investigación de Erin J. Wamsley, «Dreaming and Offline Memory Consolidation», en *Current Neurology and Neuroscience Reports*, 14, n.° 3 (marzo de 2014): 433, doi.org/10.1007/s11910-013-0433-5.
10. Para una perspectiva neurológica véase Els van der Helm y Matthew P. Walker, «Overnight Therapy? The Role of Sleep in Emotional Brain Processing», en *Psychological Bulletin*, 135, n.° 5 (septiembre de 2009): pp. 731-748, doi: 10.1037/a0016570. Rosalind D. Cartwright (2010) reúne descubrimientos de su experiencia académica, clínica y personal a lo largo de una vida de investigación en el campo del dormir y de los sueños. Para un análisis completo del crecimiento emocional a través del desarrollo psicológico y espiritual en los sueños véase Hamilton, 2014.
11. Ninad Gujar et al., «A Role for REM Sleep in Recalibrating the Sensitivity of the Human Brain to Specific Emotions», en *Cerebral Cortex*, 21, n.° 1 (enero de 2011): pp. 115-123, doi.org/10.1093/cercor/bhq064.

12. Para una discusión amplia de los sueños y su papel en la creatividad y las artes, véase la sección «Dreams and the Arts», en Hoss y Gongloff, vol. 2, 2019, 641-666.
13. Véase el artículo de noviembre de 2009 de Allen Hobson, «REM Sleep and Dreaming: Towards a Theory of Protoconsciousness», en *Nature Reviews Neuroscience*, 10, n.º 11 (noviembre de 2009): pp. 803-813, doi: 10.1038/nrn2716.
14. Para más información sobre el desarrollo de la empatía y los sueños, véase Blagrove, Hale, Lockheart et al., «Testing the Empathy Theory of Dreaming: The Relationships Between Dream Sharing and Trait and State Empathy», en *Frontiers in Psychology* (20 de junio de 2019), doi.org/10.3389/fpsyg.2019.01351.
15. Keith Hearne, 1978, https://www.keithhearne.com/phd-download/. También LaBerge, Nagel, Dement and Zarcone Jr., «Lucid Dreaming Verified by Volitional Communication During REM Sleep», en *Perceptual and Motor Skills*, 52 (1981): pp. 727-732, doi.org/10.2466/pms.1981.52.3.727.
16. Véase Voss et al., «Lucid Dreaming: A State of Consciousness with Features of Both Waking and Non-Lucid Dreaming», en *Sleep*, 32, n.º 9 (1 de septiembre de 2009): pp. 1191-1200, https://www.ncbi.nlm.nih.gov/pmc/articles/PMC2737577/; y Hobson, «The Neurobiology of Consciousness: Lucid Dreaming Wakes Up», en *The International Journal of Dream Research*, 2, n.º 2, 2009: 41-44.
17. Norbu, 1992.
18. Para más información sobre sueños reveladores en el cristianismo, véase Kelsey, 1991. Véase Henry Corbin, 1999, que ofrece una inspiradora introducción a lo que él llama las visiones imaginales teofánicas y también Kelly Bulkeley, 2008. Véase Catherine Shainberg, 2005, que provee una guía práctica a la tradición cabalística y los sueños reveladores. Para una presentación a fondo del misticismo judío y sus prácticas, véase Scholem, 1978.
19. Para un análisis detallado de los sueños desde una perspectiva alquímica, véase Hamilton, 2014.
20. Yuval Nir et al., «Sleep and Consciousness», en Cavanna et al., 2013, 170, doi: 10.1007/978-3-642-37580-4_9.
21. Cita de Andrew Powell, 2017, xvii.
22. El científico Rupert Sheldrake usa este término en su libro *Science and Spiritual Practices: Reconnecting Through Direct Experience*, 2017, 21.
23. Véase www.driccpe.org.uk. El DRI también ofrece eventos educativos y cursos abiertos al público. Además, alberga un archivo de investigación en sueños y sobre la utilización de sueños en la investigación así como videos didácticos sobre sueños desde una perspectiva espiritual.

También yo doy cursos sobre sueño lúcido. Véase http://ccpe.org.uk/?page_id=126.
24. Fulvio D'Acquisto, 2017.
25. Dave Billington, 2014, http://www.driccpe.org.uk/?portfolio-view=1575-2
26. Judy Pascoe, 2016, http://www.driccpe.org.uk/?portfolio-view=drawing-dreams-the-transformational-experience-of-expressing-dream-imagery-as-art.
27. Hamilton, «Psychospiritual Transformation: Light, Colour, and Symmetry», en Hoss y Gongloff, vol. 2, 2019, 634-640.
28. Marlene Botha, 2010, http://www.driccpe.org.uk/?portfolio-view=the-transformative-effect-of-colours-in-transpersonal-dreamwork-m-botha.
29. Nigel Hamilton, «The Personal and Therapeutic Significance of Directional Movement within the Space of a Lucid Dream» (artículo presentado en el congreso de la Asociación Internacional para el Estudio de los Sueños, junio de 2017), http://www.driccpe.org.uk/?portfolio-view=the-personal-and-therapeutic-significance-of-moving-and-interacting-within-the-space-of-a-lucid-dream-nigel-hamilton-phd.
30. Mary M. Ziemer [Melinda Powell], «Lucid Surrender and Jung's Alchemical Coniunctio», en Hurd y Bulkeley, vol. 1, (2014), 145-166.
31. Para una colección de relatos en primera persona de sueños transformadores de vida, véase Hoss y Gongloff, 2016.
32. En Londres, el Centre for Counselling and Psychotherapy Education (CCPE) ofrece apoyo terapéutico que incluye guía de sueños. Contacto 0(207) 266-3006. www.ccpe.org.uk.
33. Expresión utilizada por Amit Goswami, «Quantum Psychology: An Integral Science for the Ecology of the Psyche» (artículo presentedo en el congreso Internacional Transpersonal, Praga, 30 de septiembre de 2017).

CAPÍTULO 2. LA CIENCIA Y LOS SÍMBOLOS DEL DORMIR Y DE LOS SUEÑOS

1. Citado en Campbell, 1974, I-1.
2. El experto en islamismo Henry Corbin describe el mundo imaginal en su «*Mundus Imaginalis*, or the Imaginary and the Imaginal», en 1999, 1-33. Este tema será más desarrollado en nuestro capítulo 3.
3. Cita en el bello libro de Tom Cheetham (2012, 161) de Jung, *The Collected Works*, vol. 13, párr. 207n17.

4. Nick Littlehales, entrenador en sueños de la élite deportiva, aporta un programa de recuperación útil y conciso para devolver a la gente los beneficios de un buen sueño en su 2016.
5. Números del Congreso de Sueño «The Great British Bedtime Report», 2017, 2. Estadísticas basadas en una encuesta a más de 5.000 individuos en el Reino Unido. Véase https://sleepcouncil.org.uk/wp-content/uploads/2018/04/The-Great-British-Bedtime-Report-2017.pdf.
6. Los investigadores especulan acerca del papel aún desconocido de la melatonina en la absorción de subproductos tóxicos del metabolismo celular del oxígeno, toxinas que dañan nuestro ADN y producen cáncer. El uso de luz artificial suprime la producción de melatonina y así, a largo plazo, puede incrementar el peligro de cáncer de pecho o de próstata. Véase Erren et al., «Shift work and Cancer: The Evidence and the Challenge», en *Deutsches Ärzteblatt International*, 107, n.º 38 (2010): pp. 657-662, doi: 10.3238/arztebl.2010.0657.
7. Citado en Marianna Virtanen et al., «Long Working Hours and Coronary Heart Disease: A Systematic Review and Meta-Analysis», en *American Journal of Epidemiology*, 176, n.º 7 (2012): pp. 586-596, doi: 10.1093/aje/kws139 en Claire Caruso, «Negative Impacts of Shiftwork and Long Work Hours», en *Rehabilitation Nursing: The Official Journal of the Association of Rehabilitation Nurses*, 39, n.º 1 (enero-febrero de 2014): pp. 16-25, doi: 10.1002/rnj.107.
8. Caruso, «Negative Impacts of Shiftwork», pp. 16-25.
9. Citado en «Waking Up to the Health Benefits of Sleep», de la Sociedad Real para la Salud Pública (marzo de 2016): 11. Véase https://www.rsph.org.uk/uploadsassets/uploaded/a565b58a-67d1-4491-ab9112ca-414f7ee4.pdf.
10. Ibid., 8.
11. Ibid., 9.
12. Véase el National Health Service, NHS, «How to get to Sleep: Sleep and Tiredness» (actualizado por última vez el 22 de julio de 2019), https://www.nhs.uk/live-well/sleepand-tiredness/how-to-get-to-sleep/.
13. Véase Guo y Powell (2001) para una perspectiva taoísta práctica sobre cómo seguir mejor esta sugerencia.
14. Walker, 2019, 297.
15. Walker, 2019, 275.
16. Janne Gronlie et al., «Sleep and Protein Synthesis-Dependent Synaptic Plasticity: Impacts of Sleep Loss and Stress», en *Frontiers in Behavioral Neuroscience*, 7, Artículo 224 (21 de enero de 2014), doi: 10.3389/fnbeh.2013.00224.
17. Walker, 2019, 48.

18. Para saber más sobre la ciencia de este proceso, véase Xie et al., «Sleep Drives Metabolite Clearance from the Adult Brain», en *Science*, 342, n.º 6156 (18 de octubre de 2013): pp. 373-377, doi: 10.1126/science.1241224.
19. Shokri-Kojori et al., «β-Amyloid Accumulation in the Human Brain after One Night of Sleep Deprivation», en *Proceedings of the National Academy of Sciences* USA, PNAS, 115, n.º 17 (24 de abril de 2019): pp. 4483-4488, doi: 10.1073/pnas.1721694115.
20. Eugene y Masiak, «The Neuroprotective Aspects of Sleep», *MEDtube Science*, 3, n.º 1 (marzo de 2015): pp. 35-40. PMID: 26594659.
21. Véanse referencias tempranas a este fenómeno en Parmeggiani, «Interaction Between Sleep and Thermoregulation: An Aspect of the Control of Behavioral States», en *Sleep*, 10, n.º 5 (1987): pp. 426-435; y J. Allan Hobson, «Sleep and Dreaming», en *The Journal of Neuroscience*, 10, n.º 2 (1 de febrero de 1990): pp. 371-372, doi.org/10.1523/JNEUROSCI. Estas ideas aparecen más desarrolladas en Hobson, Hong y Friston, «Virtual Reality and Conscious Inference in Sleep», en *Frontiers in Psychology*, 5, n.º 1133 (9 de octubre de 2014): p. 9, doi: 10.3389/fpsyg.2014.01133.
22. Si bien los sueños han sido principalmente asociados con la fase REM, algunas investigaciones han demostrado que los sueños pueden ocurrir en fases no REM. No obstante, estos sueños tienden a ser más breves, menos claros y, como resultado, menos memorables. Véase Jaakko O. Nieminen et al., «Consciousness and Cortical Responsiveness: A Within-State Study During Non-Rapid Eye Movement Sleep», en *Scientific Reports*, 6, n.º 30932 (agosto de 2016): pp. 1-10, doi: 10.1038/srep30932.
23. Para conocer la historia completa, véase el artículo de Cox, «David Karnazes: The Man Who Can Run Forever», en *The Guardian*, 30 de agosto de 2013, https://www.theguardian.com/lifeandstyle/the-running-blog/2013/aug/30/dean-karnazes-man-run-forever
24. Grønlie et al., «Sleep and Protein Synthesis-Dependent Synaptic Plasticity», 3.
25. La tecnología en 4D toma escaneos de ultrasonido bidimensionales, los hace tridimensionales y le agrega efectos multimedia como revestimiento. Como ejemplo, véase «Dreaming in the womb - 33 week fetus», en *Naked Science*, Science and Technology Documentary Series. Publicado en https://www.youtube.com/watch?v=RVlVcsp-ed4, consultado el 8 de agosto de 2019. Una lista de reproducción de videos de *Naked Science* se encuentra en: https://www.youtube.com/playlist?list=PLpWCFDSTg8dvapwbRd7AVbpNAkFXhqtyo.

26. Citado en Grigg-Damberger y Kathy Wolfe, «Infants Sleep for Brain», en *Journal of Clinical Sleep Medicine, Official Publication of the American Academy of Sleep Medicine*, 13, n.° 11 (15 de noviembre de 2017): pp. 1233-1234, doi: 10.5664/jcsm.6786.
27. Ibid., 1234.
28. Walker, 2019, 195.
29. Walker, 2019, 208-209. Walker incluye un vívido relato de la investigación que él y su colega emprendieron para probar su teoría en la que él mostraba dos veces a dos grupos escogidos al azar, imágenes emocionalmente cargadas y medía la reacción de esos cerebros a las imágenes. Los participantes miraban las imágenes por la mañana y la tarde del mismo día o en la tarde de un día y la mañana del siguiente, permitiendo a un grupo dormir entre la visión de estas imágenes. Los que habían dormido mostraban menos reacción emocional y mayor activación del córtex prefrontal asociado con el pensamiento lógico.
30. Walker, 2019, 206-214. Véase también el original estudio de Walker con Helm: «Overnight Therapy? The Role of Sleep in Emotional Brain Processing», en *Psychological Bulletin*, 135, n.° 5 (septiembre de 2009): pp. 731-748, doi: 10.1037/a0016570.
31. Walker, 2019, 208.
32. Citado en Cheetham, 162. Véase también Jung, *Collected Works*, vol. 14, párr. 753.
33. Antonio Zadra, «Chronic Nightmares», en Hoss y Gongloff, vol. 2, 2019, 480.
34. Barry Krakow et al., «Imagery Rehearsal Therapy for Chronic Nightmares in Sexual Assault Survivors with Posttraumatic Stress Disorder: A Randomized Controlled Trial», en *Journal of the American Medical Association, JAMA*, 286, n.° 5 (1 de agosto de 2019): pp. 537-545, doi: 10.1001/jama.286.5.537.
35. Ibid., 543.
36. Ibid., 544. Véase también el capítulo 9 de este libro.
37. Para un vívido y esclarededor informe sobre las parasomnias, cfr. Leschziner, 2019. Véase Ryan Hurd, 2011, que ofrece un detallado relato sobre una parasomnia específica.
38. Véase Markowitsch Staniloiu, «Amygdala in Action: Relaying Biological and Social Significance to Autobiographical Memory», en *Neuropsychologia*, 49, n.° 4 (marzo de 2011): pp. 718-733, doi: 10.1016/j.neurophsychologia.2010.10.007.
39. Walker, 2019, 203-204. Según explica Walker, aparentemente solo un 2-3 % de los sueños contienen imágenes del día previo, en tanto que entre un 30 y un 55 % de los sueños aparecen temáticamente relacionados al contenido emocional del día.

40. Véase el temprano trabajo de Rosalind D. Cartwright en esta área, «Dreams that Work: The Relation of Dream Incorporation to Adaptation to Stressful Events», en *Dreaming,* 1, n.º 1 (1991): pp. 3-9. https://doi.org/10.1037/h0094312, y también su abarcador *The Twenty-Four Hour Mind: The Role of Sleep and Dreaming in Our Emotional Lives*, 2010, 162-168.
41. Para un estudio sistemático de esta condición, véase Damasio, 2006. Damasio describe cómo esta condición se encuentra en personas de apariencia normal, con buenos resultados en pruebas de inteligencia pero que, por daño cerebral, han perdido su capacidad de tomar decisiones, sobre todo elecciones de vida importantes. Él sugiere que en la toma de decisiones, los dominios personal y social se verían comprometidos si hay daño en la corteza ventromedial prefrontal, donde razón y emoción confluyen (70).
42. Smaranda Leu-Semenescu et al., «Can we still dream when the mind is blank? Sleep and Dream Mentations in Auto-activation Deficit», en *Brain*, 136, n.º 10 (1 de octubre de 2013): 3076-3084, doi.org/10.1093/brain/awt229.
43. Para una reseña abarcadora, véase Kahn y LaBerge, «Dreaming and Waking: Similarities and Differences Revisited», en *Consciousness and Cognition*, 20 (2011): 494-514, doi: 10.1016/j.concog.2010.09.002.
44. Para obtener estas estadísticas, Saunders et al. emprendieron un metaanálisis de numerosos estudios de sueño lúcido en su prevalencia y frecuencia. Cfr. Saunders, Roe, Smith y Clegg, «Lucid Dreaming Incidence: A Quality Effects Meta-Analysis of 50 Years of Research», en *Consciousness and Cognition*, 43 (2016): 210, http://dx.doi.org/10.1016/j.concog.2016.06.002.
45. Jung, *The Collected Works*, vol. 10, párr. 304.
46. Citado en el iluminador estudio de Peter J. Forshaw, «Curious Knowledge and Wonder-Working Wisdom in the Occult Work of Heinrich Khunrath», en Evans y Marr, 2016, 126.
47. Peter J. Forshaw destaca la importancia del oratorio en los alquimistas europeos, en particular Heinrich Khunrath en su «"Behold, the dream cometh": Hyperphysical Magic and Deific Visions in an Early-Modern Theosophical Lab-Oratory», en Raymond, 2011, 175-200.
48. Corbin (1999, 87) presenta un resumen de lo que entendía Swedenborg por respiración interior. Véase también la introducción de Wilson Van Dusen a G. E. Klemming (1996, 18) para una síntesis del uso de la respiración en Swedenborg.
49. El vínculo entre nuestro sentido del yo personal como individuos humanos en el tiempo y espacio es desarrollado meticulosamente en Markowitsch y Welzer, 2010.

CAPÍTULO 3. LOS SUEÑOS, LOS ÁRBOLES Y SUS RAÍCES EN LA MENTE IMAGINAL: TRANSFORMANDO LA VIDA DESPIERTA

1. James Allen, *As a Man Thinketh* (dominio público, 1903), 54.
2. Ludwig Wittgenstein, 1977, n.º 165, 39e.
3. Para desarrollar la capacidad de trabajar con imágenes, véase Glouberman, 2003.
4. Véase Martin Buber, 1958 (publicado originalmente en 1937), para el desarrollo que hace de la forma de relación Yo-tú versus Yo-eso.
5. Ibid., 6.
6. Véase el ensayo fundacional de Corbin «*Mundus Imaginalis*, or the Imaginary and the Imaginal» en 1999, 9.
7. Ibid., 18-20.
8. LaBerge, Baird y Zimbardo, «Smooth Tracking of Visual Targets Distinguishes Lucid REM Sleep Dreaming and Waking Perception from Imagination», en *Nature Communications*, 9, n.º 3298 (2018), doi: 10.1038/s41467-018-05547-0.
9. Edwards, Malinowski, McGee et. al.,«Comparing Personal Insight Gains Due to Consideration of a Recent Dream and Consideration of a Recent Event Using the Ullman and Schredl Dream Group Methods», en *Frontiers in Psychology*, 6, n.º 831 (junio de 2015), doi: 10.3389/fpsyg.2015.00831.
10. El estudio «Visual Imagery without Visual Perception?» de Helder Bertolo incluye ilustraciones de sueño; en *Psicológica*, 26 (2005): 173-188. El estudio original en inglés, «Visual Dream Content, Graphical Representation and EEG Alpha Activity in Congenitally Blind Subjects», dirigido por Bertolo, puede encontrarse en *Cognitive Brain Research*, 15, n.º 3 (febrero de 2003): pp. 277-284, doi: 10.1016/s0926-6410(02)00199-4.
11. Véase «The Sensory Construction of Dreams and Nightmare Frequency in Congenitally Blind and Late Blind Individuals» llevado a cabo por Meaidi, Jennum, Ptito y Kupers en *Sleep Medicine*, 15 (2014): 585-595, doi.org/10.1016/S0926-6410(02)00199-4.
12. Bertolo, «Visual Imagery», 184.
13. Meaidi, «The Sensory Construction of Dreams», 594.
14. Buber, 1958, 6.
15. Véase el notable estudio de Iain McGilchrist sobre los hemisferios derecho e izquierdo del cerebro, 2009, 177.
16. Ibid., 31.
17. McGilchrist nota esta activación del cerebro derecho en fase REM, citando la investigación de Stirling Myer, Ishikawa, Hata y Karacan, «Cerebral Blood Flow in Normal and Abnormal Sleep and Dreaming»,

en *Brain and Cognition*, 6, n.º 3 (julio de 1987): pp. 266-294, doi. org/10.1016/0278-2626(87) 90127-8.
18. Véase Freud, 1981 (originalmente publicado en 1900), 49. Véase también la nota 2 de Freud a la edición revisada: «En el fondo, los sueños no son otra cosa que una forma *particular* de pensamiento, hecha posible por las condiciones del estado de sueño». vol. 6, 506.
19. Joseph Campbell, 1998, i-8.
20. Para obtener más información sobre los experimentos mentales de Einstein, véase Isaacson, 2007, especialmente 3-4 y 26-27.
21. Citado en una entrevista con Einstein por George Sylvester Viereck, «What Life Means to Einstein», en *Saturday Evening Post*, 26 de octubre de 1929, pp. 17 y 110, http://www.saturdayeveningpost.com/wpcontent/uploads/satevepost/what_life_means_to_einstein.pdf.
22. Hillman, vol. 1, 2013, 18.
23. Steele y Waley Singer, «The Emerald Table», en *Proceedings of the Royal Society of Medicine*, 21, n.º 3 (enero de 1928): pp. 485-501, https://www.ncbi.nlm.nih.gov/pmc/articles/PMC2101974/?page=1.
24. Henry Corbin, *The Man of Light in Iranian Sufiism*, 1994, 6.
25. Citado en Peter J. Forshaw, «Behold, the dream cometh», 175. Forshaw destaca en una nota al pie que su cita, usada por Khunrath en la edición de 1609 de *El anfiteatro de la sabiduría eterna*, es atribuida Julio César Escalígero. Véase la nota 1, 189.
26. Childre y Martin, 1999, 33.
27. Ibid., 40.
28. Blaise Pascal, «Sobre los medios de la creencia», n.º 277 (originalmente publicado en 1660).
29. Childre y Martin, 1999, 6.
30. Ibid., 10 y 30-31.
31. Números citados en Sheldrake *Science and Spiritual Practices*, 31, en Benson, 2000.
32. Santa Biblia, Daniel 4:9-16.
33. Santa Biblia, Daniel 2:30.
34. Santa Biblia, Daniel 4:4.
35. Versión original alemana en Rilke, 2006, 619.
36. Richard Powers, 2018, 221.
37. Peter Wohlleben, 2015, 10-11.
38. Ibid., 6-18.
39. Véase Puttonen et al., «Quantification of Overnight Movement of Birch (Betula pendula) Branches and Foliage with Short Interval Terrestrial Laser Scanning», en *Frontiers in Plant Science*, 7, Artículo 222 (29 de febrero de 2016), doi: 10.3389/fpls.2016.00222.

40. Jung, 2002 (originalmente publicado en 1933), 74. La oración entera dice: «En la vida psíquica, como en todas nuestras experiencias, todo lo que actúa es real, sin que importe el nombre que el hombre le ponga».
41. Citado de una carta que Einstein escribió a un padre cuyo hijo había muerto, en Schweber, 2008, 300.
42. Jung, *The Collected Works*, vol. 10, párr. 304.
43. Edward F. Edinger, 1994, 178.
44. Para obtener más información sobre cómo este término llegó a ser de uso común, véase el artículo «"Dreamtime" y "The Dreaming": Who dreamed up these terms?» por Christine Judith Nicholls, The Conversation UK (28 de enero de 2014), http://theconversation.com/dreamtime-and-the-dreaming-who-dreamed-up-theseterms-20835
45. Para un informe académico sobre las raíces históricas de los pueblos australianos, véase Flood, 1990.
46. Mircea Eliade, 1969, 10.
47. Citado en Campbell, 1999, I-1.
48. Para obtener más información sobre este tema, véase Elizabeth y Neil Carman, 2013, 225-237.
49. Allen, 1903, 54.
50. El físico David Peat (1996, 287), compara la ciencia de las culturas occidentales e indígenas, señalando asombrosos paralelos.
51. Presentado en el hermoso *The Tree of Life: Symbol of the Centre* de Robert Cook (Londres, Thames & Hudson), 18.
52. Ibid.
53. Ibid.
54. Para un desarrollo extenso sobre el tema, véase Eliade, 1991.
55. Eliade, 1989, 39-40.
56. El físico Arthur Zajonc (1993, 292-329) hace un repaso iluminador de los experimentos en luz que involucran el «dominio cuántico». Para una introducción concisa al tema de la teoría cuántica cfr. Polkinghorne, 2002.
57. Para leer el poema completo, véase Yeats, «The Two Trees», 1996, 17-18.
58. Damasio, 2006, 250.
59. Para obtener más información sobre la reciprocidad desde el punto de vista de la teoría de sueño cocreativo, véase el trabajo de Scott Sparrow's, «Imagery Change Analysis: Working with Imagery from the Standpoint of Co-creative Dream Theory» (2013), http://www.driccpe.org.uk/?portfolio-view=imagery-change-analysis-working-withimagery-from-the-standpoint-of-co-creative-dream-theory-scott-sparrow.

CAPÍTULO 4. EL LENGUAJE DE LAS ROCAS, LAS PIEDRAS Y LOS MINERALES: UN CASO ILUSTRATIVO

1. Del *Evangelio de Tomás*, 2002, 77N. Este texto forma parte de lo que se conoce como la biblioteca de Nag Hamâdi, una colección de manuscritos escrita entre los siglos III y IV y oculta hasta su descubrimiento, en 1945. Esta colección representa la escritura del cristianismo primitivo no aceptada en el canon de textos oficiales.
2. Para una presentación detallada de «El proceso del sueño lúcido», véase Hamilton, 2014.
3. Al trabajar con sueños, el imaginario puede presentar también una metáfora que nos llame la atención sobre un posible tema médico. Por ejemplo, el bloqueo en este sueño podría reflejar un bloqueo psíquico. Como Mark se tocó el pecho mientras describía el sueño, le pregunté si había tenido problemas cardíacos. Me dijo que los había tenido en el pasado, porque un chequeo reciente había mostrado que no había motivos de preocupación. No obstante, el sueño lo alertó para que cuidase esto entre los chequeos médicos anuales. Para un pantallazo sobre aspectos somáticos y de salud en sueños, véase Hoss, «Somatic and Health-Related Dreams», en *Dreams: Understanding Biology, Psychology, and Culture*, vol. 1 (Santa Barbara, CA: ABC-CLIO LLC, 2019), 292-301.
4. Máxima alquímica citada en Eliade, 1978, 153.
5. Ibid., 42, 121.
6. Tomado de fragmentos de libro de Sir James Jeans de 1931, *The Mysterious Universe,* citado en Wilber, 151.
7. Citado por Eliade, 1978, 158.
8. Ibid., 156-157.
9. Jung, *The Collected Works*, vol. 9, parte II, párr. 61.
10. Ibid., párr. 13-15.
11. Santa Biblia, Ezequiel 36:26.
12. Jung, *The Collected Works*, vol. 14, párr. 778.
13. Hazrat Inayat Khan, 1979, 229.
14. A partir de la movilizadora pregunta de Barbara Somers (2002, 34-36) «¿Qué hace cantar a tu corazón, qué te da alegría?».
15. C. G. Jung en Jaffe 1979, 123.
16. *Evangelio de Tomás*, 50n2, 38.
17. Kurt Seligman (1948, 110) citado en Chevalier y Gheerbrant, *The Penguin Dictionary of Symbols* (1996, 1072).
18. Jung, *The Collected Works*, vol. 16, párr. 86.
19. La idea de «verdear» deriva del tema favorito «O nobilissima viriditas», o sea, «Oh, nobilísimo verdear» de Hildegarda von Bingen, que

celebró en su «Responso para la Virgen». Véase Hildegard von Bingen, 1995, 380. Para la versión musical de esta pieza, véase http://www.hildegard-society.org/2017/04/o-nobilissima-viriditas-responsory.html o bien *O nobilissima viriditas: The Complete Hildegard von Bingen*, vol. 3, Peter Wishart Symphony.

20. Robert A. Johnson, 2008, 58.
21. Cita de Robert Stickgold, director del Centro de Sueños y Cognición de la facultad de Medicina de Harvard, en *National Geographic Magazine* (agosto de 2018), artículo «The Science of Sleep» por Michael Finkel, 40-77.
22. Khalil Gibran, 1951, 38.
23. Santa Biblia, Génesis 28:17.
24. Eliade, 1997, 20 y 43.
25. Del poema de William Stafford, «Glances» (1962, 69).
26. Eliade, 1997, 20.

CAPÍTULO 5. LA LUZ A TRAVÉS DEL PRISMA DE LOS SUEÑOS

1. Dante, *Divina Comedia*, 1321. Estos versos provienen de Paraíso, Canto 33 y ofrecemos aquí la versión castellana de Ángel Battistessa.
2. Arthur Zajonc escribe con elocuencia sobre el tema (1993, 316).
3. Ibid., 184. Zajonc mismo tradujo este pasaje de la *Teoría de los colores* de Goethe a partir de la edición de Erich Trunz, vol. 13, 1982. A modo de comparación, en la traducción de Charles Lock Eastlake (2016, xxvi) se lee: «...el ojo es formado por la luz, en referencia a la luz, para acomodarse a la acción de la luz; la luz que contiene se corresponde con la luz externa».
4. Zajonc, 1993, 1-2. Zajonc montó con otros colegas una exhibición llamada «Proyecto Eureka» que invitaba a la gente a asomarse a un espacio lleno de luz en el vacío. Luego se les pedía que volvieran a mirar, tras haber insertado una vara de metal. La presencia de la luz se volvía visible a través de la vara iluminada.
5. Véase el artículo de la NASA «Dark Energy, Dark Matter», consultado el 8 de agosto de 2019, https://science.nasa.gov/astrophysics/focus-areas/what-is-dark-energy.
6. La teoría de la mente extendida supone que el conocimiento se extiende más allá de la mente individual hacia estructuras medioambientales que van de objetos y símbolos a personas, y que se disemina en el tiempo y el espacio. Esta original teoría también ha sido utilizada por

científicos para la investigación de la percepción extrasensorial. Véase Clark y Chalmers, «The Extended Mind», en *Analysis*, Oxford Journals, Oxford UP, 58, n.º 1 (enero de 1998): 7-19, http://www.jstor.org/stable/3328150.

7. He escrito más sobre este tema en «Metaphoric Presence in Spiritual Dreams», en la antología *Dreams: Understanding Biology, Psychology, and Culture*, vol. 2, 628-633.
8. Tomado de Shakespeare, *La Tempestad*, Acto 4, escena 1, 156-157, originalmente «Somos la materia / de la que están hechos los sueños...».
9. Este sueño pertenece a uno de los más de seis mil informes sobre experiencias religiosas o espirituales registrados por el archivo Alister Hardy en el Religious Experience Research Centre (RERC), Universidad Trinity Saint David de Gales, Lampeter, UK. Todas las citas de este archivo son referidas por el número de informe, en este caso RERC 000266. Quisiera agradecer al RERC (http://www.uwtsd.ac.uk/library/alister-hardyreligious-experience-research-centre/) y a la fundación Alister Hardy (http://www.studyspiritualexperiences.org/) su permiso para acceder y citar material de su archivo.
10. Véase la síntesis que hace Jung sobre la comprensión alquímica de la *lumen naturae* en *The Collected Works*, vol. 8, párr. 388-396.
11. Ibid., párr. 391. Jung cita esta enseñanza particular en el *Liber de Caducis* de Paracelso.
12. Véase nuestro capítulo 9 para obtener más información sobre este tema. En el capítulo 10 se explora la naturaleza de la luz oscura.
13. Para obtener más información sobre este tema, véase Krippner, Bogzaran y Percia de Carvalho (2002), que ofrecen un pantallazo; Van de Castle, en el capítulo «Paranormal Dreams: Psychic Contributions to Dreams» (1994), ofrece muchas relaciones y ejemplos de investigación en este campo, como también Ullman, Krippner y Vaughan (2001).
14. Estas figuras son citas de un estudio sobre «Spontaneous cases of psi within accounts submitted to the Alister Hardy Religious Experience Research Centre», de Pauline Linnett y Chris Roe, con casos comparados de ESP a partir de tres fuentes: L. E. Rhine (1962), Sannwald (1963) y el archivo Alister Hardy RERC (ponencia presentada en la British Psychological Society, BPS, Sección Transpersonal, vigésimo congreso anual, 16-18 de septiembre de 2016).
15. Archivo del Alister Hardy Religious Experience Religious Centre, caso 000166.
16. Annekatrin Puhle (2013, 218) compiló un análisis de ochocientos casos de experiencias de transformación que incluyen la luz.
17. Ibid.
18. Ibid.

19. El sueño completo aparece citado en Adler, 1999, 144, a partir de *Rain Upon Godshill* de Priestley, 301.
20. Ibid., 144.
21. Fragmento de «You Are With the Friend Now», en Ladinsky, 2006.

CAPÍTULO 6. EL MISTERIO DE LA MAGIA DEL COLOR: UN ESTUDIO EN AZUL

1. Isak Dinesen (Karen Blixen), «The Young Man with the Carnation», 2001/1942, 29.
2. El sustantivo *arkhe* en griego significa «primer lugar u origen» y proviene del verbo *arkhein*, «ser el primero»; *typos* significa «modelo, tipo, marca, golpe» y se refiere al golpe asociado con el acto de presionar un sello en cera o pintura. El sello representa la autoridad de la persona o cuerpo que lo originó.
3. Jung, *The Collected Works*, vol. 11, párr. 557.
4. Ibid.
5. Archivo del Alister Hardy Religious Experience Religious Centre, caso 786.
6. Bach, 1977, 26.
7. Richard Buckminster Fuller acuñó esta expresión. Fuller, arquitecto e inventor, también diseñó la cúpula geodésica.
8. Nigel Hamilton hizo este comentario sobre la naturaleza del color en los sueños en una conferencia sobre sueños alquímicos durante mis prácticas avanzadas en psicoterapia en el Centre for Counselling and Psychotherapy Education, CCPE, Londres, 2009.
9. Véase «Day of Color», 2019, 13. Agradezco a John Brugaletta por alentarme a escribir y a soñar.
10. Robert J. Hoss, 2005, 97.
11. Ludwig Wittgenstein, 1986, n.º 129, 48e.
12. Ludwig Wittgenstein, n.º 154, 36e. Por «geometría del color» se refiere a nuestros conceptos de color, formados en conexión con la tridimensionalidad, la luz y la sombra. Véase también n.º 144, 36e.
13. La compañía Enchroma desarrolló por primera vez estas lentes. https://www.enchroma.com.
14. Asequibles en youtube. Véase, por ejemplo, www.youtube.com/watch?v=XSD7-TgUmUY.
15. Wittgenstein, n.º 224, 47e.
16. Vasili Kandinski (1977, 28) describe este efecto de color con mayor detalle.

17. Del poema de William Blake «The Little Black Boy» (1789) en *Songs of Innocence and Experience*, v. 13-14, 1970, 134.
18. Andrew Harvey, 1997, 147.
19. Del emblema alquímico «símbolos secretos de los rosacruces», presentado por Adam McLean (2002, 124). Véase la página web www.levity.com para una base de datos insuperable de tratados y emblemas alquímicos.
20. Analogía trazada por William C. Chittick, 1994, 8.
21. Ibid., 58.
22. Citado en Jim Clemmer, 2003, 84.
23. W. Y. Evan-Wentz, 1968, 106.
24. Ibid., 107.
25. Ibid., 104.
26. Arthur Zajonc, 199-200.
27. Para un estudio más profundo sobre los efectos psicológicos y fisiológicos de la luz natural, véase Jacob Israel Liberman, 1991.
28. Novalis, *Henry Von Ofterdingen: A Romance*, 2015, 3.
29. Aldous Huxley, *The Doors of Perception* (originalmente publicado en 1954), 7.
30. Ibid., 8.
31. Katherine A. Maclean et al., «Factor Analysis of the Mystical Experience Questionnaire: A Study of Experiences Occasioned by the Hallucinogen», en *Journal for the Scientific Study of Religion*, 51, n.° 4 (diciembre de 2012): 721-737, doi: 10.1111/j.1468-5906.2012.01685.x
32. Archivo del Alister Hardy Religious Experience Religious Centre, caso 000128.
33. C. S. Lewis, 1973, n.° 187, 81.
34. Paul Klee, 1977, 61, figura 87.
35. Henry Corbin, 1994, 142.
36. Expresión usada por Ibn Arabi citada por William C. Chittick, 1994, 26.
37. Goethe, 1908, 15.
38. Goethe, 2006, xvii.

CAPÍTULO 7. LA GEOMETRÍA DE LOS SUEÑOS Y LAS DIMENSIONES DE LA CONCIENCIA

1. Kandinski, 1977, nota 6, 29.
2. Véase la portada de la revista *Discover* de abril de 2002, en donde se utiliza el mármol para ilustrar el universo en sus primeros estadios de

expansión en el artículo «Where did everything come from?: Guth's Grand Guess», de Brad Lemley, *Discover*, 23, n.º 4 (abril de 2002),. 32-39.

3. Para una explicación concisa del vacío cuántico, véase Frank Close, 2009.
4. Julian of Norwich, 1997, 10-11.
5. En St John's, Timberhill, Norwich, se encuentra la iglesia St Julian's, en cuya celda se cree que vivió la santa.
6. Para pasajes de los escritos de Louis de Broglie, véase «Aspirations Towards Spirit», 2001, 122.
7. Ibid.
8. Isaacson, 2007, 26. De acuerdo a Isaacson, la escuela preparatoria en Aarau, donde Einstein eligió pasar un año antes de asistir a la politécnica de Zúrich, se basaba en las teorías educativas del reformador educativo suizo Johann Heinrich Pestalozzi, decidido defensor de las visualizaciones para promover la enseñanza.
9. Citado del propio informe de Kekule en *Berichte der deutschen chemischen Gesellschaft*, 1890, pp. 1305-1307. El informe aparece en una conferencia titulada «Kekule Dreams», del doctor Water Libby, de la Universidad de Pittsburgh, como el primero de una serie de artículos dedicados a la investigación psicológica y lógica en el Mellon Institute of Industrial Research de la Universidad de Pittsburgh, 14 de febrero-2 de mayo de 1922. Véase Walter Libby, «The Scientific Imagination», en *Scientific Monthly*, 15, n.º 263 (1922): 269, https://archive.org/details/jstor-6552/page/n7. Si bien hay inconsistencias en los informes de Kekule sobre su sueño con el paso del tiempo, como lo documenta el artículo de Libby, Kekule era conocido por el uso de sus intuiciones basadas en sueños para el desarrollo de hipótesis.
10. C. G. Jung, *The Collected Works*, vol. 13, párr. 143.
11. Véase Hobson, «Sleep and Dreaming: Towards a Theory of Protoconsciousness», 803-813.
12. J. Allan Hobson y Karl J. Friston, «Waking and Dreaming Consciousness: Neurobiological and Functional Considerations», en *Progress in Neurobiology*, 98, n.º 1 (julio de 2012): 82-98, doi.org/10.1016/j.pneurobio.2012.05.003.
13. Nigel Hamilton, «Psychospiritual Transformation: Light, Colour, and Symmetry», en Hoss y Gongloff, 2019, 634-640. Itálicas en el original.
14. Jung, *The Collected Works*, vol. 14, párr. 776.
15. Matthew Fox, 1983, 21.
16. Alce Negro en John G. Neihardt, 2014 (originalmente publicado en 1932), 26.
17. David Villasenor, 1966, 7.

18. David Peat (1996, 164-170) ofrece una profunda integración del modelo de cuatro funciones de Jung con la práctica del aro sagrado entre los pueblos nativos estadounidenses.
19. Copérnico, *De Revolutionibus Orbium Caelestium*, 1543, citado en Istvan y Magdolna Hargittai, 1994, 103.
20. Frank Close, en su libro *The Void* (2007, 152-156), describe el modelo de universo de Hartle-Hawking, donde el tiempo asume las propiedades dimensionales de una esfera.
21. Jung, *The Collected Works*, vol. 18, párr. 625.
22. Si te confunde que la luz negra pueda brillar, recuerda cuán pura la luz puede brillar en el vacío, donde de hecho aparece como invisible y negra (v. capítulo 5). En sueños lúcidos yo percibo esta oscuridad radiante como una luz clara, aguda. Nuestro capítulo 10 aborda el fenómeno de la luz negra.
23. Jung, *The Collected Works*, vol. 14, párr. 776.

CAPÍTULO 8. EL PODER DE LA PRESENCIA SANADORA EN SUEÑOS

1. Buber, 1958, 11.
2. Un encantador tratado del arte de la perfumería y su conexión con la alquimia es el de Maggie Aftel, 1991.
3. *COBUILD Advanced English Dictionary*, s.v. «presence (*n.*)» HarperCollins, consultado el 31 de julio de 2019, https://www.collinsdictionary.com/dictionary/english/presence.
4. Carl Rogers, citado en una entrevista de 1987 con Michele Baldwin publicada en Baldwin, 2000, 29.
5. John Welwood (2002, 141), terapeuta transpersonal, ha desarrollado muchas enseñanzas y prácticas sobre la práctica incondicional. Véase su capítulo «The Power of Healing Presence».
6. Cheetham, 2012, 173.
7. Solrunn Nes ofrece una exquisita síntesis de la tradición de pintura de iconos que ella misma ha creado en *The Mystical Language of Icons* (2004).
8. Génesis 18:1-15.
9. Santa Biblia, Hebreos 13:2.
10. *Stachu* es el apócope de «Stanislaw» en polaco.
11. Este sueño forma parte de una colección de otros 208 sueños de 147 supervivientes de Auschwitz registrados en 1979 por la Academia de Medicina de Cracovia, Polonia. La colección se encuentra en el archivo

del museo Auschwitz-Birkenau. Wojciech Owczarski cita este sueño en su poderoso estudio «Therapeutic Dreams in Auschwitz». Véase Wojciech Owczarski, «Therapeutic Dreams in Auschwitz», en *Jednak Ksiazki, Gdańske Czasopismo Humanistyczne*, 6 (2016): 86. Texto completo en http://cejsh.icm.edu.pl/cejsh/element/bwmeta1.element.desklight-23ef-4d8-ca2d-4ec9-9295-8c5f5ebac108. Quiero agradecer a Owczarski por su permiso para incluir este sueño.

12. El teólogo Rudolf Otto acuñó esta expresión que describe por extenso en *The Idea of the Holy* (1950, 13-24).
13. Ibid., 59.
14. 1 Juan 4:18: «En amor no hay temor, mas el perfecto amor echa fuera el temor».
15. En la mitología griega, la diosa del amor, Afrodita, surgía del agua transportada sobre el lomo de un pez. El símbolo del pez se utilizó como el decimosegundo símbolo del zodiaco, Piscis. Los cristianos primitivos que vieron a Jesús como pescador de hombres utilizaban la palabra griega *ichthus* (pez) como acrónimo de I*esu* C*hristos* T*heou* U*ios* S*oter* (Jesús Cristo Hijo de Dios Salvador). Lucas refiere que Cristo comió pescado tras su resurrección (Lucas 24:42). Para el simbolismo del pez, véase Chevalier y Gheerbrant, 1996, 383-384.
16. Mis prácticas en psicoterapia fueron en el Centre for Counselling and Psychotherapy Education de Londres, acreditado por el United Kingdom Council for Psychotherapy. Véase www.ccpe.org.uk.
17. Robert A. Johnson, 1991, 85.
18. Véase Werner Herzog, *Lo and Behold, Reveries of the Connected World,* Saville Productions, 2016.
19. Teilhard de Chardin desarrolla la evolución de lo que llama *noogénesis*, el desarrollo de la mente, en su libro *The Phenomenon of Man* (1975, especialmente 180-184).
20. Cifras que figuran en el trabajo de Alfonso Echazarra, «How has internet use changed between 2012 and 2015?», en *PISA in Focus*, n.° 83, OECD Publishing, París (abril de 2018): 2, doi.org/10.1787/1e912a10-en, estudio financiado por la Organization for Economic Cooperation and Development, establecida en 1961 y que representa a 34 países miembros. El segundo estudio, de Ofcom, regulador de comunicaciones de Reino Unido, se concentra en el uso que los adultos hacen de los medios en Reino Unido. Véase Ofcom, «Adults: Media Use and Attitudes Report, 2019» (30 de mayo de 2019): 6, https://www.ofcom.org.uk/__data/assets/pdf_file/0021/149124/adults-media-use-andattitudes-report.pdf.
21. Citado en «Children & Young People's Mental Health in the Digital Age: Shaping the Future» (OECD, 2018): 8, https://www.oecd.org/els/

health-systems/Childrenand-Young-People-Mental-Health-in-the-Digital-Age.pdf.

22. Véase Andrew Powell, «Technology and the Soul in the 21st Century», 2018, 161-179.
23. Google llama a este programa creativo «inceptionalism». Para conocer más ejemplos de formas de arte generadas por ordenador, véase https://ai.googleblog.com/2015/06/inceptionism-going-deeper-into-neural.html.
24. George MacDonald, 1980, 6-7. El editor sostiene en su introducción que MacDonald no consideraba que escribiese para niños, «sino para los de espíritu infantil, ya sean de cinco, cincuenta o setenta y cinco», x.
25. Ibid., 11-12.
26. Lewis, *George MacDonald*, 1973, n.º 1295, 139.
27. Welwood, 2002, 143.
28. Las tecnologías de alta velocidad de quinta generación (5G) operan veinte mil veces más rápido que la ya arcaica tercera generación (3G), lo que no solo puede acelerar nuestras distracciones, sino perjudicarnos y perjudicar el medioambiente con la polución electromagnética en la que sumergen toda vida. Para un resumen de los efectos potenciales sobre la salud y el medioambiente de la 5G EMF, véase Priyanka Bandara y David O. Carpenter «Planetary Electromagnetic Pollution: It is Time to Assess its Impact», en *The Lancet Planetary Health*, vol. 2 c 2018 (diciembre de 2018): 512-514, doi.org/10.1016/S2542-5196(18)30221-3. Véase también Martin L. Pall «5G: Great risk for EU, U.S. and International Health! Compelling Evidence for Eight Distinct Types of Great Harm Caused by Electromagnetic Field (EMF) Exposures and the Mechanism that Causes Them» (mayo de 2018), https://www.emfdata.org/en/documentations/detail&id=243.
29. Fragmento de *The Way of Life: Lao-Tzu* (2007, n.º 21).
30. Véase Melinda Powell, «Metaphoric Presence in Dreams», en *Dreams: Understanding Biology, Psychology, and Culture*, vol. 2, 628-633.

CAPÍTULO 9. PESADILLAS: DEL MIEDO A LA LIBERTAD

1. Proverbios 3:24
2. Véase Michael Schredl, «Typical Dream Themes», en Valli y Hoss, 2019, 180-188. Schredl apunta que si bien la gente suele comentar estos temas, los estudios de sueños muestran que el tópico de la persecución aparece solo entre un 4 y 11% de los sueños y el de la caída significativamente menos. Aunque aparezcan menos, estos temas son los que

las personas están más dispuestas a referir. Esto puede deberse a que las experiencias oníricas que plantean una amenaza directa a nuestra existencia dejan una impresión profunda y más fácil de recordar.

3. Véase Rousseau y Belleville, «The Mechanisms of Action Underlying the Efficacy of Psychological Nightmare Treatments: A Systematic Review and Thematic Analysis of Discussed Hypotheses», en *Sleep Medicine Review*, 39 (2018): 122-133, doi: 10.1016/j.smrv.2017.08.004.
4. Snorre Sturlason, *Heimskringla; or, the Lives of the Norse Kings*, Nueva York, Dover, 1990, 9. Esta historia forma parte de una encantadora colección de leyendas folclóricas compilada por el profesor Dee L. Ashliman https://www.pitt.edu/~dash/nightmare.htmlkuhn2 (consultado en mayo de 2005).
5. Ibid., 9.
6. Véase BaHammam, Al-Shimemeri, Salama y Sharif, «Clinical and Polysomnographic Characteristics and Response to Continuous Positive Airway Pressure Therapy in Obstructive Sleep Apnea Patients with Nightmares», en *Sleep Medicine*, 14, n.º 2 (2013): 149-154, doi: 10.1016/j.sleep.2012.07.007.

   La apnea del sueño puede tratarse utilizando presión en las vías respiratorias (CPAP), entre otras intervenciones médicas. Consulta a tu médico si crees que padeces esta afección. Más información en https://www.mayoclinic.org/diseases-conditions/sleep-apnea/symptoms-causes/syc-20377631.
7. Para una descripción de pesadillas asociadas con parasomnias, véase Leschziner, 2019.
8. Véase Sterpenich, Perogamvros, Tononi y Schwartz, «Experiencing Fear in Dreams Relates to Brain Response to Aversive Stimuli During Wakefulness», en *Sleep Medicine*, 40 Supplement 1 (diciembre de 2017): pE259, doi.org/10.1016/j.sleep.2017.11.759, y el tratamiento completo de este tema por los mismos autores en «Fear in Dreams and in Wakefulness: Evidence for Day/Night Affective Homeostasis», Cold Spring Harbor Laboratory, bioRxiv prepublicación, colgado en la red el 29 de enero de 2019, doi: http://dx.doi.org/10.1101/534099
9. Citado en «Bad dreams "help to control fear when awake"» por Sean Coughlan, BBC, 27 de noviembre de 2019, https://www.bbc.co.uk/news/education-50563835.
10. Platón, *Phaedo, The Collected Dialogues*, 1971, 67e, 50. Versión castellana: *Fedón,* Madrid, Gredos, 2014.
11. Para acceder a una colección similar de sueños de personas internadas en hospicios, véase Derek Doyle, 1999. Véase también Jeanne van Bronkhorst, 2015.
12. Véase Peter y Elizabeth Fenwick, 1995, 3, 129-140.

13. En una entrevista televisiva para la BBC el 22 de octubre de 1959, John Freeman preguntó a Jung, «¿Cree usted en Dios?». Tras unos segundos de reflexión, Jung contestó: «No necesito creer: lo sé». Más tarde, en respuesta a Valentine Brooke, Jung desarrolló su controvertido comentario: «Cuando digo que no necesito creer en Dios porque lo sé, quiero decir que sé sobre la existencia de imágenes de Dios en general y en particular. Sé que es un asunto de experiencia universal y, en tanto que no soy una excepción, sé que yo también tengo esa experiencia que llamo Dios». En *Letters*, vol. 2, 16 de noviembre de 1959, «Letter to Valentine Brooke», nota 2, 520-523.
14. Véase Martin Ott, Vladimir Gogvadze, Sten Orrenius y Boris Zhivotovsky, «Mitochondria, Oxidative Stress and Cell Death», en *Apoptosis*, 12 (2007): 913-922, doi: 10.1007/s10495-007-0756-2.
15. Unos 33.000 pies.
16. Para un resumen accesible de principios y operaciones alquímicas en relación con los procesos psicoterapéuticos, véase Edward F. Edinger, 1994.
17. Roberto Assagioli, 1973, 106-122.
18. En su resumen de las enseñanzas de Assagioli, Mark Thurston usa los siguientes términos para referirse a los estadios de voluntad desarrollados en este capítulo: 1) voluntad negadora, 2) voluntad hábil, 3) voluntad de poder y 4) voluntad transpersonal. Véase Thurston, 2005.
19. Charlotte Beradt, «Dreams Under Dictatorship», en *Free World* (octubre de 1943): 333-337, https://www.museumofdreams.org/third-reich-of-dreams.
20. Charlotte Beradt, 1985. Doy las gracias a Robin Shohet por preservar esta obra, al hacerla circular gracias a una reedición y por recomendármela hace unos años.
21. Ibid., 9.
22. Ibid., 61.
23. Para el sueño completo, véase Beradt, 1985, 100-103.
24. Ibid., 169. Para los sueños como vehículo de la acción política, véase Sharon Sliwinski, 2017. También véase Kelly Bulkeley, «199 Dreams about Donald Trump», para tener un pantallazo de sueños sociales con el presidente de Estados Unidos, en *Huff's Post*, 26 de abril de 2017, www.huffpost.com.
25. B. K. S. Iyengar, 1996, 45-46.
26. En un estudio reciente sobre la percepción cerebral de la belleza a través de los sentidos, los investigadores han utilizado un metaanálisis de 93 estudios de neuroimágenes. En la vigilia, la ínsula derecha anterior del cerebro que se activa con el temor también se ve estimulada al percibir belleza. Como se asocia esta parte del cerebro a una aversión

instintiva a los estímulos, nadie pudo ver que esta área se activaría. Desconcertados, los investigadores encontraron que al responder a la belleza, la ínsula trabaja conjuntamente con el córtex orbital frontal. Esta parte del cerebro se enciende cuando expresamos empatía y recibimos un refuerzo positivo, que produce así una respuesta emocional positiva. Esto sugiere que la ínsula también juega un papel en el reconocimiento de lo que hace bien, como la belleza, y que podría servir para superar el temor, de acuerdo a lo que muestran mis sueños. Véase Brown, Xiaoqing et al., «Naturalizing Aesthetics: Brain Areas for Aesthetic Appraisal across Sensory Modalities», en *NeuroImage*, 58, n.º 1 (1 de septiembre de 2011): 250-258, doi.org/10.1016/j.neuroimage.2011.06.012.

27. Estudios neurológicos muestran que los gestos de la vigilia preceden al pensamiento consciente, como ocurre en mi sueño: la acción de arrodillarme y bajar la cabeza estaba motivada por la respuesta visceral a la comprensión de la belleza. Véase la sección «The Primacy of the Unconscious Will» en McGilchrist, 2009, 186-191.
28. El sueño lúcido como intervención terapéutica de las pesadillas sugiere que enfrentar directamente una situación amenazante acelera la reducción de la frecuencia de pesadillas más rápido que los métodos terapéuticos tradicionales. Véase Holzinger, Klosch y Saletu, «Studies with Lucid Dreaming as Add-On Therapy to Gestalt Therapy», en *Acta Neurologica Scandinavica*, 131 (2015): 355-363, doi:0.1111/ane.12362.
29. Cracovia, «Imagery Rehearsal Therapy», 544.
30. Véase Lancee, Spoormaker y Van Den Bout, «Nightmare Frequency is Associated with Subjective Sleep Quality but not with Psychopathology», en *Sleep and Biological Rhythms*, 8 (2010): 187-193, doi.org/10.1111/j.1479-8425.2010.00447.x. Citado en Annika Gieselmann et al., «Aetiology and Treatment of Nightmare Disorder: State of the Art and Future Perspectives», en *Journal of Sleep Research* (julio de 2018): 7, doi: 10.1111/jsr.12820.

CAPÍTULO 10. VIAJES A LO PROFUNDO: SUEÑO LÚCIDO Y ENTREGA LÚCIDA

1. Aristóteles, *De Somniis*, 1908, 462a.
2. Al utilizar la palabra *esencia* tengo presente lo apuntado por Sarah Young respecto a los sueños en su artículo «“Everything Is What It Is and Not Something Else”: A Response to Professor Gion Condrau»: «La investigación fenomenológica de los estados de sueños debería

considerarse un intento por revelar la esencia de los fenómenos oníricos para llegar a una correcta interpretación mientras se acepte que no se trata de una posibilidad», en el *Journal of the Society for Existential Analysis* (julio de 1993): 16. Agradezco a Sarah, colega y amiga, por recordarme siempre las enseñanzas de Medard Boss y su fidelidad a la aprehensión directa de la esencia del soñar.

3. Chogyal Namkhai Norbu, 1992, 67.
4. Véase Voss et al., «Lucid Dreaming: A State of Consciousness with Features of Both Waking and Non-Lucid Dreaming», en *Sleep*, 32, n.° 9 (1 de septiembre de 2009): 1191-1200, https://www.ncbi.nlm.nih.gov/pmc/articles/PMC2737577/; y J. Allan Hobson «The Neurobiology of Consciousness: Lucid Dreaming Wakes Up», *The International Journal of Dream Research*, 2, n.° 2 (octubre de 2009): 41-44.
5. Voss et al., «Lucid Dreaming», 1191. Tras la investigación de Voss en 2012, la presencia de 40 Hz de frecuencia cerebral en sueños lúcidos fue confirmada usando escáneres de EEG y fMRI por Martin Dresler et al., «Neural Correlates of Dream Lucidity Obtained from Contrasting Lucid versus Non-Lucid REM Sleep: A Combined EEG/fMRI Case Study», en *Sleep*, 35, n.° 7 (2012): 1017-1020, http://dx.doi.org/10.5665/sleep.1974.
6. Véase Filevich, Dresler, Brick y Kuhn, «Metacognitive Mechanisms Underlying Lucid Dreaming», en *The Journal of Neuroscience*, 35, n.° 3 (21 de enero de 2015): 1082-1088, doi: 10.1523/JNEUROSCI.3342-14.2015.
7. Véase Pagel, «The Synchronous Electrophysiology of Conscious States», en *Dreaming*, 22, n.° 3 (2012): 179, doi: 10.1037/a0029659.
8. Voss y Hobson, «What is the State-of-the-Art on Lucid Dreaming? - Recent Advances and Further Questions», en *Open MIND* (Fráncfort del Meno MIND Group, 2015): 4, doi: 10.15502/9783958570306.
9. Ibid., 9-10.
10. Para la «realidad virtual» como modelo de la relación entre sueño y vigilia, véase Hobson et. al., «Virtual Reality and Consciousness Inference in Dreaming», 2014: 1-18, doi: 10.3389/fpsyg.2014.01133.
11. Expresión de Dean Radin en su libro *The Conscious Universe: The Truth of Psychic Phenomena* (1997).
12. Véase Ed Kellogg, «The Lucidity Continuum», presentado en el Octavo Congreso Anual de la Lucidity Association, Santa Cruz, 28 de junio de 1992, http://www.driccpe.org.uk/portfolio-view/the-lucidity-continuum-ed-kellogg.
13. Sobre escritura creativa y sueño lúcido, véase Clare Johnson, «Magic, Meditation and the Void: Creative Dimension of Lucid Dreaming», en Bulkeley y Hurd, 2014, 61-64.

14. Véase Schadlich y Erlacher, «Lucid Music - A Pilot Study Exploring Experiences and Potentials of Music-Making in Lucid Dreams», en *Dreaming*, 28, n.° 3 (septiembre de 2018): 276-286, doi: 10.1037/drm0000073.
15. Véase Stumbrys, Erlacher y Schredl, «Effectiveness of Motor Practice in Lucid Dreams: A Comparison with Physical and Mental Practice», en *Journal of Sports Sciences*, 34, n.° 1 (abril de 2015): 27-34, https://doi.org/10.1080/02640414.2015.1030342. Véase también Erlacher y Schredl, «Practicing a Motor Task in a Lucid Dream Enhances Subsequent Performance: A Pilot Study», en *The Sport Psychologist*, 24, n.° 2 (2010): 157-167, doi: 10.1123/tsp.24.2.157. Asimismo, Schadlich, Erlacher y Schredl, «Improvement of Darts Performance Following Lucid Dream Practice Depends on the Number of Distractions While Rehearsing within the Dream - A Sleep Laboratory Pilot Study», en *Journal of Sports Sciences*, 35, n.° 23 (2017): 2365-2372, doi: 10.1080/02640414.2016.1267387.
16. LaBerge et. al., «Lucid Dreaming Verified by Volitional Communication in REM Dreaming», 1981 y Hearne, «Lucid Dreams», 1978.
17. Para el rango de experiencias en el sueño lúcido, véase LaBerge y Rheingold, 1990, y Waggoner, 2009.
18. David T. Saunders et al. obtuvieron estas estadísticas a partir del metaanálisis de la persistencia y frecuencia de numerosos sueños lúcidos. Véase Saunders, Roe, Smith y Clegg, «Lucid Dreaming Incidence: A Quality Effects Meta-Analysis of 50 Years of Research», en *Consciousness and Cognition*, 43 (2016): 210, http://dx.doi.org/10.1016/j.concog.2016.06.002.
19. Voss et. al. informan que usando electricidad han tenido algún éxito en la inducción del sueño lúcido. Sin embargo, tales sueños se asocian con un control por encima de la trama onírica, cuando este no debe ser el caso en los sueños lúcidos. Queda mucho por saber acerca de las distintas frecuencias que se manifiestan en sueños, cómo las experimenta el soñador, y los tipos de cognición evidentes en cada uno. Voss et al., «What is the State-of-the-Art in Lucid Dreaming?», 14.
20. Se llegó a esta conclusión a partir de la comparación de 35 estudios sobre la inducción de sueños lúcidos. Véase Stumbrys, Erlacher, Schadlich y Schredl, «Induction of Lucid Dreams: A Systematic Review of Evidence», en *Consciousness and Cognition*, 21 (2012): 1473, http://dx.doi.org/10.1016/j.concog.2012.07.003.
21. Basado en los resultados de 386 soñadores lúcidos. Véase Stumbrys, Erlacher y Malinowski, «Meta-Awareness During Day and Night: The Relationship Between Mindfulness and Lucid Dreaming», en *Imagination, Cognition and Personality: Consciousness in*

Theory, Research, and Clinical Practice, 34, n.º 4 (2015): 415, doi: 10.1177/0276236615572594.

22. Alusión al precepto alquímico del emblema XLII en De Jong, 2002, 266.
23. En una encuesta online a 301 soñadores lúcidos, el 81 % declaró la diversión como principal aplicación de su sueño lúcido. Véase Schadlich y Erlacher, «Applications of Lucid Dreams: An Online Study», en *International Journal of Dream Research*, 5, n.º 2 (2012): 134-138.
24. Para uno de los pocos estudios sobre sueño lúcido y desarrollo personal, véase Konkoly y Burke, «Can Learning to Lucid Dream Promote Personal Growth?», en *Dreaming*, 29, n.º 2 (junio de 2019): 113-126, doi: 10.1037/drm0000101. Los investigadores señalan que los participantes más estables al comenzar experimentaron mayor crecimiento personal como resultado de sus sueños lúcidos, y aquellos que tuvieron sueños lúcidos con más frecuencia declararon tener mayor satisfacción con sus vidas.
25. De un *hadith* o enseñanza del Profeta Mahoma citado en Henry Corbin, 1969, 114.
26. Stephen LaBerge, 2004, 65.
27. Se pueden encontrar ejemplos de este tipo de sueño lúcido en Fariba Bogzaran, «Hyperspace Lucidity, and Creative Consciousness» en Bulkeley y Hurd, 2014, 209-231.

    Véase también el fascinante resumen de su investigación en «Kundalini and Non-Duality in the Lucid Dreaming State», en el mismo volumen, 233-263. Para trabajos seminales en sueño lúcido, véase Scott Sparrow (1976) y George Gillespie, «Light and Lucid Dreams: A Review», en *Dreaming*, vol. 2, n.º 3 (1992): 167-179, que ofrecen un resumen de sus descubrimientos. Gillespie (2019) ha publicado recientemente un relato personal de sus experiencias en sueño lúcido. Para una exploración dimánica de experiencias extáticas lúcidas, véase Patricia Garfield, 1979.
28. Esta enseñanza ha sido la piedra de toque de mi relación entre sueños y vigilia. Gibran, 1951.
29. Citado en Chittick, 27.
30. He escrito muchos artículos sobre entrega lúcida para el Lucid Dream Exchange (www.dreaminglucid.com) con mi apellido de soltera, Ziemer. Publiqué además un capítulo de libro sobre el tema desde una perspectiva junguiana, titulado «Lucid Surrender and the Alchemical Coniunctio», en Hurd y Bulkeley, 2015, 145-146. Espero publicar un libro más detallado sobre la experiencia de la entrega lúcida en el futuro cercano.
31. Corbin, 1994, 105. De un *hadith* o enseñanza del profeta Mahoma.

32. Hadrat Abd al-Qadir al-Jilani, *El secreto de los secretos*, interpretado por Shaykh Tosun Bayrak al-Jerrahi al-Halveti, 2010, 56.
33. Cita de Andrew Powell, 2017, xvii.

EPÍLOGO: POR UN MUNDO NECESITADO DE SUEÑOS

1. Del título del libro de Mark Thurston, *Dreams: Tonight's Answers for Tomorrow's Questions*, sobre las enseñanzas de Edgar Cayce (1996).
2. Michael Collins, 2009, 402.
3. Véase de Stephen Emmet su poderoso *10 Billion* (2008), y de David Wallace-Wells, *The Uninhabitable Earth: A Story of the Future* (2019).
4. Para una compilación de películas de fotografía secuencial que rastrean cambios climáticos, véase la colección del científico Johnathan Hester, «Before Our Eyes: Evidence of the Changing Earth We Can See», consultada el 4 de octubre de 2019, http://www.rescuethatfrog.com/before-our-eyes/BOE-13.
5. Para una exhortación positiva a la acción, te inspirará el libro de Greta Thunberg *No One is Too Small to Make a Difference* (2018-2019). Versión castellana: *La historia de Greta: ¡No eres demasiado pequeño para hacer cosas grandes!*, Barcelona, Destino, 2019.
6. Archivo del Alister Hardy Religious Experience Research Centre, caso 000128.

Bibliografía

'ABD AL-QADIR AL-JILANI, H., *The Secret of Secrets*. Interpretado por Shaykh Tosun Bayrak al-Jerrahi al-Halveti, The Islamic Texts Society, Cambridge, Reino Unido, 2010. Versión castellana: *El secreto de los secretos,* Madrid, Sufí, 2014.

ADLER, G. *Studies in Analytical Psychology*, Londres, Routledge Taylor & Frances Group, 1999 (Originalmente publicado en 1948).

AFTEL, M., *The Essence of Alchemy: A Book of Perfume*, Nueva York, North Point, 2001.

ALIGHIERI, D., *Divina Commedia*, en *The Divine Comedy of Dante Alighieri, vol. 3*, *Paradiso*, traducido y con un comentario de Courtney Langdon, Cambridge, Harvard UP, 1921. Última actualización 26 de noviembre de 2019: https://oll.libertyfund.org/titles/212.

ALLEN, J., *As a Man Thinketh*, dominio público, 1903.

«Amsterdam Declaration on Earth System Science», presentada en «Challenges of a Changing Earth: Global Change Open Science Conference, Amsterdam, The Netherlands, July 2001», Global International Geosphere-Biosphere Programme Change, http://www.igbp.net/about/history/2001amsterdamdeclarationonearthsystem science.4.1b8ae20512db692f2a680001312.html.

ARISTOTLE, *De Somniis (On Dreams)*, en *The Works of Aristotle Parva Naturalia*, editado por J. A. Smith y W. D. Ross,

Oxford, Clarendon Press, 1908. Versión castellana: *Parva naturalia,* Madrid, Alianza, 1953.

ASERINSKY, E., y N. KLEITMAN, «Regularly Occurring Periods of Eye Motility, and Concomitant Phenomena, During Sleep», en *Science*, 118, n.º 3062 (1953): 273-274, doi: 10.1126/science.118.3062.273.

ASHLIMAN, D. L., «Night-mares: Legends or Superstitions About the Demons that Cause Nightmares», University of Pittsburgh (website), «Professor D. L. Ashliman Home Page» (mayo de 2005), https://www.pitt.edu/~dash/nightmare.htmlkuhn2.

ASSAGIOLI, R., *The Act of Will*, Nueva York, Penguin, 1973.

BACH, R., *Illusions: The Adventures of a Reluctant Messiah*, Nueva York, Dell, 1977. Versión castellana: *Ilusiones*, Madrid, Ediciones B, 2019.

BAHAMMAM, A. S., S. A. AL-SHIMEMERI, R. I. SALAMA y M. M. SHARIF, «Clinical and Polysomnographic Characteristics and Response to Continuous Positive Airway Pressure Therapy in Obstructive Sleep Apnea Patients with Nightmares», en *Sleep Medicine*, 14, n.º 2 (2013): 149-154, doi:10.1016/j.sleep. 2012.07.007.

BALDWIN, M., «Interview with Carl Rogers on the Use of the Self in Therapy», en *The Use of Self in Psychotherapy*, 29-38, editado por Michele Baldwin, Nueva York, Haworth, 2000.

BANDARA, P., y D. O. CARPENTER, «Planetary Electromagnetic Pollution: It is Time to Assess its Impact», en *The Lancet Planetary Health*, vol. 2, © 2018 los autores. Publicado por Elsevier Ltd. (diciembre de 2018): 512-514.doi.org/10.1016/S2542-5196(18)30221-3.

BARING, A., *The Dream of the Cosmos: A Quest for the Soul*, Dorset, Archive, 2013.

—, «Dreams: Messages of the Soul», en *Reflections 11*, consultado el 8 de agosto de 2019, https://www.anne-baring.com/anbar16_reflections011_dreams.htm.

BENSON, H., *The Relaxation Response*, Nueva York, William Morrow, 2000.

BERADT, Ch., *The Third Reich of Dreams: The Nightmares of a Nation 1933-1939*, Great Britain, Acquarian Press/Thorsons, 1985.

—, «Dreams Under Dictatorship», Free World (octubre de 1943): 333-337, https://www.museumofdreams.org/third-reich-of-dreams.

BERTOLO, H., «Visual Imagery without Visual Perception?», en *Psicológica*, 26 (2005): 173-188.

—, T. PAIVA, L. PESSOA, T. MESTRE, R. MARQUES y R. SANTOS, «Visual Dream Content, Graphical Representation and EEG Alpha Activity in Congenitally Blind Subjects», en *Cognitive Brain Research*, 15, n.º 3 (febrero de 2003): 277-284, doi: 10.1016/s0926-6410(02)00199-4.

BILLINGTON, D., «Client Experience of the Waking Dream Process», tesis de maestría, 2014, http://www.driccpe.org.uk/?portfolio-view=1575-2.

BLAGROVE, M., S. HALE, J. LOCKHEART, M. CARR, A. JONES y K. VALLI, «Testing the Empathy Theory of Dreaming: The Relationships Between Dream Sharing and Trait and State Empathy», en *Frontiers in Psychology* (20 de junio 2019), doi.org/10.3389/fpsyg.2019.01351.

BLAKE, W., «The Little Black Boy», en *Songs of Innocence and Experience*, Oxford, Oxford UP, 1970. Versión castellana: *Canciones de Inocencia y de experiencia*, Madrid, Cátedra, 2014.

BOGZARAN, F., «Hyperspace Lucidity, and Creative Consciousness», en *Lucid Dreaming: New Perspectives on Consciousness in Sleep*, vol. 2, 209-231, Santa Barbara, Praeger, 2014.

BOTHA, M., «The Transformative Effects of Colours in Transpersonal Dreamwork», Tesis de maestría, 2010, http://www.driccpe.org.uk/?portfolio-view=the-transformative-effect-of-colours-in-transpersonal-dreamwork-m-botha

BROWN, S., G. XIAOQING, L. TISDELLE, S. R. EICKHOFF y M. LIOTTI, «Naturalizing Aesthetics: Brain Areas for Aesthetic Appraisal across Sensory Modalities», *NeuroImage*, 58, n.º 1 (1 de septiembre de 2011): 250-258, doi.org/10.1016/j.neuroimage.2011.06.012.

BRUGALETTA, J. J., «A Day of Color», en *John J. Brugaletta: Selected Poems*, Athens, Futurecycle, 2019.

BUBER, M., *I and Thou*, Nueva York, MacMillan, 1958 (Originalmente publicado en 1937). Versión castellana: *Yo y tú*, Barcelona, Herder, 2017.

BULKELEY, K., «199 Dreams about Donald Trump», en *Huff's Post*, 26 de abril de 2017, www.huffpost.com.

—, *Dreaming in the World's Religions: A Comparative History*, Nueva York, Nueva York UP, 2008.

CAMPBELL, D., «NHS Prescribed Record Number of Antidepressants Last Year», en *The Guardian*, 29 de junio de 2017, https://www.theguardian.com/society/2017/jun/29/nhs-prescribed-record-number-of-antidepressants-last-year

CAMPBELL, J., con B. D. MOYERS, *The Power of Myth*, Nueva York, Doubleday, 1988. Versión castellana: *El poder del mito*, Madrid, Capitán Swing, 2016.

—, *The Mythic Image*, Bollingen Series C. Princeton, Princeton UP, 1974.

CARMAN, E., y N. CARMAN, *The Cosmic Cradle: Spiritual Dimensions of Life Before Birth*, Berkeley, North Atlantic, 2013. Versión castellana: *Imagen del mito*, Vilaür, Atalanta, 2013.

CARTWRIGHT, R. D., *The Twenty-Four Hour Mind: The Role of Sleep and Dreaming in Our Emotional Lives*, Nueva York, Oxford UP, 2010.

—, «Dreams that Work: The Relation of Dream Incorporation to Adaptation to Stressful Events», en *Dreaming*, 1, n.º 1 (1991): 3-9. https://doi.org/10.1037/h0094312.

CARUSO, C., «Negative Impacts of Shiftwork and Long Work Hours», en *Rehabilitation Nursing: The Official Journal of the Association of Rehabilitation Nurses*, 39, n.º 1 (enero-febrero de 2014): 16-25, doi:10.1002/rnj.107

CHEETHAM, T., *All the World's an Icon: Henry Corbin and the Angelic Function of Beings*, Berkeley, North Atlantic, 2012.

CHILDRE, D., y H. MARTIN, *The Heartmath Solution: Proven Techniques for Developing Emotional Intelligence*, Londres, Judy Piatkus, 1999.

CHITTICK, W. C., *Imaginal Worlds: Ibn al-'Arabī and the Problem of Religious Diversity*, Alabama, State University of New York Press, 1994. Versión castellana: *Mundos imaginales: Ibn al Arabi y la diversidad de las creencias*, Madrid, Mandala, 2004.

CLARK, A., y D. CHALMERS, «The Extended Mind», en *Analysis*, Oxford Journals, Oxford UP, 58, n.º 1 (enero de 1998): 7-19. http://www.jstor.org/stable/3328150.

CLEMMER, J., *The Leader's Digest: Timeless Principles for Team and Organization Success*, Toronto, TCG, 2003.

CLOSE, F., *NOTHING: A Very Short Introduction*, Oxford, Oxford UP, 2009.

—, *The Void*, Oxford, Oxford UP, 2007.

COBUILD, *Advanced English Dictionary*, HarperCollins, consultado el 31 de Julio de 2019, https://www.collinsdictionary.com/dictionary/english/presence.

COLLINS, M., *Carrying the Fire: An Astronaut's Journeys, 50th Anniversary Edition*, Londres, Pan, 2009.

COOK, R., *The Tree of Life: Symbol of the Centre*, Londres, Thames & Hudson, 1974. Versión castellana: *El árbol de la vida: imagen del cosmos*, Barcelona, Debate, 1994.

CORBIN, H., *Swedenborg and Esoteric Islam: Comparative Spiritual Hermeneutics*, West Chester, Swedenborg Foundation, 1999.

—, *The Man of Light in Iranian Sufiism*, New Lebanon (Nueva York), Omega, 1994. Traducción castellana *El hombre de luz en el sufismo iranio*, Madrid, Siruela, 2000.

—, *Alone with the Alone: Creative Imagination in the Sufism of Ibn Arabī*, Princeton, Princeton UP, 1969. Versión castellana: *La imaginación creadora en el sufismo de Ibn'Arabi*, Barcelona, Destino, 1993.

COUGHLAN, S., «Bad dreams "help to control fear when awake"», en BBC, 27 de noviembre de 2019, Familia y educación, https://www.bbc.co.uk/news/education-50563835.

COX, D., «David Karnazes: The Man Who Can Run Forever», en *The Guardian*, 30 de agosto de 2013, https://www.theguardian.com/lifeandstyle/the-runningblog/2013/aug/30/dean-karnazes-man-run-forever.

DAMASIO, A. R., *Descartes' Error: Emotion, Reason and the Human Brain*, Nueva York, Avon, 2006. Versión castellana: *El error de Descartes: la emoción, la razón y el cerebro humano*, Barcelona, Crítica, 2004.

D'ACQUISTO, F., «Dreaming Autoimmunity: Exploring Dreams in Patients Suffering from Autoimmune Diseases», tesis de maestría, 2017.

de Broglie, L., «The Aspiration Towards Spirit», en *Quantum Questions*, 117-129, Boston, Shambala, 2001.
de Chardin, T., *The Phenomenon of Man*, Nueva York, Harper & Row, 1975 (originalmente publicado en 1959).
Dinesen, I., «The Young Man with the Carnation», en *Winter's Tales*, Londres, Penguin, 2001. Versión castellana: *Cuentos de invierno,* Barcelona, Alfaguara, 2003.
Doyle, D., *The Platform Ticket: Memories and Musings of a Hospice Doctor*, Bakewell, Pentland, 1999.
Dresler, R. W., V. I. Spoormaker, S. P. Koch, F. Holsboer, A. Steiger, H. Obrig, P. G. Samann y M. Czisch, «Neural Correlates of Dream Lucidity Obtained from Contrasting Lucid versus Non-Lucid REM Sleep: A Combined EEG/fMRI Case Study», en *Sleep*, 35, n.º 7 (2012): 1017-1020. http://dx.doi.org/10.5665/sleep.1974.
Echazarra, A., «How has internet use changed between 2012 and 2015?», en *PISA in Focus*, n.º 83, OECD Publishing, París (abril de 2018), doi.org/10.1787/1e912a10-en.
Edinger, E. F, *Anatomy of the Psyche: Alchemical Symbolism in Psychotherapy*, Peru, Open Court, 1994.
Edwards, Ch. L., J. E. Malinowski, S. L. McGee, P. D. Bennett, R. M. Perrine y M. T. Blagrove, «Comparing Personal Insight Gains due to Consideration of a Recent Dream and Consideration of a Recent Event Using the Ullman and Schredl Dream Group Methods», *Frontiers in Psychology*, 6, n.º 831 (junio de 2015), doi: 10.3389/fpsyg.2015.00831.
—, J. E. Malinowski, S. L. McGee, P. D. Bennett, R. M. Perrine y M. T. Blagrove, «Dreaming and Insight», en *Frontiers in Psychology* (24 de diciembre de 2013), doi: 10.3389/fpsyg.2013.00979.
Eliade, M., *Images and Symbols: Studies in Religious Symbolism*, Princeton, Princeton UP, 1991. Versión castellana: *Imágenes y símbolos,* Madrid, Taurus, 1992.
—, *Shamanism: Archaic Techniques in Ecstasy*, Londres/Arkana, Penguin, 1989. Versión castellana: *El chamanismo y las técnicas arcaicas del éxtasis,* Madrid, FCE, 2001.
—, *The Forge and the Crucible: The Origins and Structures of Alchemy*, 2.ª edición, University of Chicago Press, 1978.

Versión castellana: *Herreros y alquimistas,* Madrid, Alianza, 2016.
—, *The Quest: History and Meaning in Religion*, University of Chicago Press, 1969. Versión castellana: *La búsqueda: historia y sentido de las religiones,* Barcelona, Kairós, 2014.
Emmet, S., *10 Billion*, Londres, Penguin, 2008.
Emmons, R. A., y M. E. McCullough, «Counting Blessings Versus Burdens: An Experimental Investigation of Gratitude and Subjective Well-Being in Daily Life», en *Journal of Personality and Social Psychology*, 84, n.° 2 (2003): 377-389, doi: 10.1037/0022-3514.84.2.377.
Erlacher, D., y M. Schredl, «Practicing a Motor Task in a Lucid Dream Enhances Subsequent Performance: A Pilot Study», en *The Sport Psychologist*, 24, n.° 2 (2010): 157-167, doi: 10.1123/tsp.24.2.157.
Erren, T. C., P. Falaturi, P. Morefeld, P. Knauth, R. J. Reiter y C. Piekarski, «Shift Work and Cancer: The Evidence and the Challenge», en *Deutsches Ärzteblatt International*, 107, n.° 38 (2010): 657-662, doi: 10.3238/arztebl.2010.0657.
Esser, T., «Kundalini and Non-Duality in the Lucid Dreaming State», en *Lucid Dreaming: New Perspectives on Consciousness in Sleep*, vol. 2, 233-263, Santa Barbara, Praeger, 2014.
Eugene, A. R., y J. Masiak, «The Neuroprotective Aspects of Sleep», en *MEDtube Science*, 3, n.° 1 (marzo de 2015): 35-40, PMID: 26594659.
Evan-Wentz, W. Y. (ed.), *The Tibetan Book of the Dead*, Nueva York, Oxford UP, 1968 (originalmente publicado en 1927).
Fenwick, P., y E. Fenwick, *The Truth in the Light: An Investigation of over 300 Near-Death Experiences*, Londres, Headline, 1995.
Filevich, E., M. Dresler, T. R. Brick y S. Kuhn, «Metacognitive Mechanisms Underlying Lucid Dreaming», en *The Journal of Neuroscience*, 35, n.° 3 (21 de enero de 2015): 1082-1088, doi: 10.1523/JNEUROSCI.3342-14.2015.
Finkel, M., «The Science of Sleep», en *National Geographic Magazine*, agosto de 2018, 40-77.
Flood, J., *Archaeology of the Dreamtime: The Story of Prehistoric Australia and Its People,* New Haven, Yale UP, 1990.

FORSHAW, P. J., «Curious Knowledge and Wonder-Working Wisdom in the Occult Work of Heinrich Khunrath», en *Curiosity and Wonder from the Renaissance to the Enlightenment*, 107-129, Nueva York, Routledge, 2016.

—, «“Behold, the dream cometh”: Hyperphysical Magic and Deific Visions in an Early-Modern Theosophical Lab-Oratory», en *Conversations with Angels: Essays Towards a History of Spiritual Communication, 1100-1700*, 175-200, Hampshire, Palgrave Macmillan, 2011.

FOX, M.(trad.), *Meditations with Meister Eckhart*, Santa Fe, Bear & Company, 1983.

FREUD, S., *The Interpretation of Dreams* (primera y segunda parte), vols. V-VI, en *The Standard Edition of the Complete Psychological Works of Sigmund Freud*, vols 1-24, Londres, The Hogarth Press and The Institute of Psychoanalysis, 1981 (originalmente publicado en 1900). Versión castellana: *La interpretación de los sueños*. Obras completas, vols. 4 y 5, Buenos Aires, Amorrortu, 1991.

GARFIELD, P., *Pathways to Ecstasy: The Way of the Dream Mandala*, Nueva York, Prentice Hall, 1979.

GIBRAN, K., *The Prophet*, Nueva York, Alfred A. Knopf, 1951 (originalmente publicado en 1923). Versión castellana: *El profeta*, Barcelona, Punto de Lectura, 2000.

GIESELMANN, A., M. A. AOUDIA, M. CARR, A. GERMAINE, R. GORZKA, B. HOLZINGER et al., «Aetiology and Treatment of Nightmare Disorder: State of the Art and Future Perspectives», en *Journal of Sleep Research* (julio de 2018): 7, doi: 10.1111/jsr.12820.

GILLESPIE, G., *Beyond Dreaming to Religious Experiences of Light*, Exeter, Imprint Academic, 2019.

—, «Light and Lucid Dreams: A Review», en *Dreaming*, vol. 2, n.º 3 (1992): 167-179.

GLOUBERMAN, D., *Life Choices, Life Changes: Develop Your Personal Vision for the Life You Want*, Londres, Hodder & Stoughton, 2003.

GOSWAMI, A., «Quantum Psychology: An Integral Science for the Ecology of the Psyche», trabajo presentado en la Interna-

tional Transpersonal Conference, Praga, 30 de septiembre de 2017.
GRIGG-DAMBERGER, M. M., y K. M. WOLFE, «Infants Sleep for Brain», en *Journal of Clinical Sleep Medicine, Official Publication of the American Academy of Sleep Medicine*, 13, n.° 11 (15 de noviembre de 2017): 1233-1234, doi: 10.5664/jcsm.6786.
GRONLIE, J., J. SOULE y C. R. BRAMHAM, «Sleep and Protein Synthesis-Dependent Synaptic Plasticity: Impacts of Sleep Loss and Stress», en *Frontiers in Behavioral Neuroscience*, 7, Artículo 224 (21 de enero de 2014), doi: 10.3389/fnbeh.2013.00224.
GUJAR, N., S. A. MCDONALD, M. NISHIDA y M. P. WALKER, «A Role for REM Sleep in Recalibrating the Sensitivity of the Human Brain to Specific Emotions», *Cerebral Cortex*, 21, n.° 1 (enero de 2011): 115-123, doi.org/10.1093/cercor/bhq064.
GUO, B., y A. POWELL, *Listen to Your Body: The Wisdom of the Dao*, Honolulu, The University of Hawaii Press, 2001.
HAMILTON, N., «Psychospiritual Transformation: Light, Colour, and Symmetry», en *Dreams: Understanding Biology, Psychology, and Culture*, vol. 2., 634-640, Santa Barbara, ABC-CLIO LLC, 2019.
—, «The Personal and Therapeutic Significance of Directional Movement within the Space of a Lucid Dream», trabajo presentado en el International Association for the Study of Dreams Conference, Anaheim, California, junio de 2017, http://www.driccpe.org.uk/?portfolio-view=the-personal--and-therapeutic-significance-of-moving-and-interacting-within-the-space-of-alucid-dream-nigel-hamilton-phd.
—, *Awakening Through Dreams: The Journey Through the Inner Landscape*, Londres, Karnac, 2014.
HANSEN, M. C., P. V. POTAPOV, R. MOORE, M. HANCHER, S. A. TURUBAHOVA, A. TYUKAVINA, D. THAU y S. V. STEHMAN, «High-Resolution Global Maps of 21st-Century Forest Cover Change», *Science*, 342, n.° 6160 (15 de noviembre de 2013): 850-853, doi: 10.1126/science.1244693.
HARGITTAI, I., y M. HARGITTAI, *Symmetry: A Unifying Concept*, Bolinas, Shelter, 1994.

HARVEY, A., *The Essential Mystics: Selections from the World's Great Wisdom Traditions*, San Francisco, HarperSanFrancisco, 1997.
HEARNE, K., «Lucid Dreams: An Electro-Physiological and Psychological Study», tesis doctoral, Universidad de Liverpool, Reino Unido, 1978, https://www.keithhearne.com/phd-download/.
HERZOG, W., *Lo and Behold, Reveries of the Connected World*, Saville Productions, 2016.
HESTER, J., «Before Our Eyes: Evidence of the Changing Earth we can see», consultado el 4 de octubre de 2019, http://www.rescuethatfrog.com/before-oureyes/BOE-13.
HILLMAN, J., *Archetypal Psychology Uniform Edition of the Writings of James Hillman*, vol. 1, Putnam, Spring, 2013.
HOBSON, J. A., C. C. H. HONG y K. J. FRISTON, «Virtual Reality and Conscious Inference in Sleep», en *Frontiers in Psychology*, 5, n.º 1133 (9 de octubre de 2014): 1-18, doi: 10.3389/fpsyg.2014.01133.
—, y K. J. FRISTON, «Waking and Dreaming Consciousness: Neurobiological and Functional Considerations», en *Progress in Neurobiology*, 98, n.º 1 (julio de 2012): 82-98, doi.org/10.1016/j.pneurobio.2012.05.003.
—, «REM Sleep and Dreaming: Towards a Theory of Protoconsciousness», en *Nature Reviews Neuroscience*, 10, n.º 11 (noviembre de 2009): 803-813, doi:10.1038/nrn2716.
—, «The Neurobiology of Consciousness: Lucid Dreaming Wakes Up», en *The International Journal of Dream Research*, 2, n.º 2 (octubre de 2009): 41-44.
—, «Sleep and Dreaming», en *The Journal of Neuroscience*, 10, n.º 2 (1 de febrero de 1990): 371-372, doi.org/10.1523/JNEUROSCI.
HOLZINGER, B., G. KLOSCH y B. SALETU, «Studies with Lucid Dreaming as Add-On Therapy to Gestalt Therapy», *Acta Neurologica Scandinavica*, 131 (2015): 355-363, doi: 10.1111/ane.12362.
HOOFT GRAAFLAND, J., «New Technologies and 21st Century Children: Recent Trends and Outcomes», en *OECD Educa-*

tion Working Papers, n.º 179, OECD Publishing, París (12 de septiembre de 2018): 1-60, doi.org/10.1787/e071a505-en.

HORIKAWA, T., T. TAMAKI, Y. MIYAWAKI y Y. KAMITANI, «Neural Decoding of Visual Imagery During Sleep», en *Science*, 340, n.º 6132 (3 May 2013): 639-642, doi: 10.1126/science.1234330.

HOSS, R. J., K. VALLI y R. P. GONGLOFF (eds.), *Dreams: Understanding Biology, Psychology, and Culture*, vols. 1-2, Santa Barbara, CA, ABC-CLIO LLC, 2019.

—, «Somatic and Health-Related Dreams», en *Dreams: Understanding Biology, Psychology, and Culture*, vol. 1, 292-301, Santa Barbara, ABC-CLIO LLC, 2019.

—, y R. P. GONGLOFF (eds.), *Dreams That Change Our Lives*, Ashville, Chiron, 2016.

—, *Dream Language: Self-Understanding through Imagery and Color*, Ashland, Inner Source, 2005.

HURD, R., *Sleep Paralysis: A Guide to Hypnagogic Visions and Visitors of the Night*, Los Altos, Hyena, 2011.

—, «Spontaneous Emergence: A Phenomenology of Lucid Dreaming», tesis de maestría, 2008, http://www.driccpe.org.uk/?s=hurd.

HUXLEY, A., *The Doors of Perception*, Londres, Flamingo, 1994 (originalmente publicado en 1954). Versión castellana: *Las puertas de la percepción,* Barcelona, Debolsillo, 2019.

Independent Mental Health Taskforce to the NHS in England, «The Five Year Forward View of Mental Health» (febrero de 2016): 10, https://www.england.nhs.uk/wp-content/uploads/2016/02/Mental-Health-Taskforce-FYFV-final.pdf.

ISAACSON, W., *Einstein: His Life and Universe*, Londres, Simon & Schuster, 2007.

IYENGAR, B. K. S., *Light on the Yoga Sutra of Patanjali*, Londres, Thonsons, 1996. Versión castellana: *Luz sobre los yoga-sutras de Patañjali,* Barcelona, Kairós, 2019.

JEANS, J. S., «A Universe of Pure Thought», en *Quantum Questions: Mystical Writings of the World's Greatest Physicists*, 133-153, Boston, Shambhala, 2001.

JOHNSON, C., «Magic, Meditation and the Void: Creative Dimension of Lucid Dreaming», en *Lucid Dreaming: New Perspec-*

tives on Consciousness in Sleep, vol. 2, 61-64, Santa Barbara, Praeger, 2014.
JOHNSON, R. A., *Inner Gold: Understanding Psychological Projection*, Kihei, Koa, 2008.
—, *Owning Your Own Shadow*, Nueva York, Harper Collins, 1991. Versión castellana: *Aceptar la sombra de tu inconsciente: comprender el lado oscuro de la psique*, Barcelona, Obelisco, 1998.
JULIAN OF NORWICH, *Revelations of Divine Love*, Londres, Hodder & Stoughton, 1997. Versión castellana: *Libro de visiones y revelaciones*, Madrid, Trotta, 2002.
JUNG, C. G., *The Collected Works*, Bollingen Series XX, Vols 1-20, editado por Herbert Read, Michael Fordham y Gerhard Adler, Princeton UP, 1955-1992. Versión castellana: *Obra completa*, 18 vols., Madrid, Trotta, 2016.
—, *Modern Man in Search of a Soul*, Londres y Nueva York, Routledge, 2002 (originalmente publicado en 1933).
—, *C.G. Jung: Word and Image*, Bollingen Series XCVII, vol. 2, Princeton UP, 1979.
—, «To Valentine Brooke», en *C. G. Jung's Letters: vol. 2, 1951-1961*, Londres, Routledge & Kegan Paul, 1976.
KAHAN, T. L., y S. P. LABERGE, «Dreaming and Waking: Similarities and Differences Revisited», en *Consciousness and Cognition*, 20 (2011): 494-514, doi: 10.1016/j.concog.2010.09.002
KANDINSKY, W., *Concerning the Spiritual in Art*, Nueva York, Dover, 1977. Versión castellana: *De lo espiritual en el arte*, Barcelona, Paidós Ibérica, 1996.
KELSEY, M. T., *God, Dreams, and Revelation*, Minneapolis, Augsburg Fortress, 1991.
KHAN, H. I., *The Sufi Message of Hazrat Inayat Kahn: The Unity of Religious Ideals*, vol. 9, Ginebra (Suiza), Sede Internacional del Movimiento Sufí, 1979.
KLEE, P., *Pedagogical Sketchbook*, Londres, Faber & Faber, 1977.
KONKOLY, K., y Ch. T. Burke, «Can Learning to Lucid Dream Promote Personal Growth?», en *Dreaming*, 29, n.º 2 (junio de 2019): 113-126, doi:10.1037/drm0000101.
KOZMOVA, M., «Emotions During Non-Lucid Problem-Solving Dreams as Evidence of Secondary Consciousness», en *Com-*

prehensive Psychology (1 de enero de 2015), doi.org/10.2466/09.CP.4.6.

KRAKOW, B., M. HOLLIFIELD, L. JOHNSTON, M. KOSS, R. SCHRADER, T. D. WARNER et al., «Imagery Rehearsal Therapy for Chronic Nightmares in Sexual Assault Survivors with Posttraumatic Stress Disorder: A Randomized Controlled Trial», en *The Journal of the American Medical Association (JAMA)*, 286, n.º 5 (1 de agosto de 2019): 537-545, doi: 10.1001/jama.286.5.537.

KRIPPNER, S., F. BOGZARAN y A. P. DE CARVALHO, *Extraordinary Dreams and How to Work with Them*, Albany, State University of New York Press, 2002.

LABERGE, S., B. BAIRD y P. G. ZIMBARDO, «Smooth Tracking of Visual Targets Distinguishes Lucid REM Sleep Dreaming and Waking Perception from Imagination», en *Nature Communications*, 9, n.º 3298 (2018), doi: 10.1038/s41467-018-05547-0/.

—, *Lucid Dreaming: A Concise Guide to Awakening in Your Dreams and in Your Life*, Boulder, Sounds True, 2004, 2009.

—, y H. RHEINGOLD, *Exploring the World of Lucid Dreaming*, Nueva York, Ballantine, 1990.

—, L. E. NAGEL, W. C. DEMENT y V. P. ZARCONE Jr, «Lucid Dreaming Verified by Volitional Communication During REM Sleep», en *Perceptual and Motor Skills*, 52 (1981): 727-732.

LADINSKY, D., «You Are with the Friend Now», en *I Heard God Laughing: Poems of Hope and Joy, Renderings of Hafiz by Daniel Ladinsky*, Londres, Penguin, 2006.

LANCEE, J., V. SPOORMAKER y J. VAN DEN BOUT, «Nightmare Frequency is Associated with Subjective Sleep Quality but not with Psychopathology», en *Sleep and Biological Rhythms*, 8 (2010): 187-193, doi.org/10.1111/j.1479-8425.2010.00447.x.

LEMLEY, B., «Where did everything come from? Guth's Grand Guess», en *Discover*, 23, n.º 4, abril 2002, 32-39.

LESCHZINER, G., *The Nocturnal Brain: Nightmares, Neuroscience and the Secret World of Sleep*, Londres, Simon & Schuster, 2019.

LESKU, J., A. AULSEBROOK y E. ZAID, «Evolutionary Perspectives on Sleep», en *Dreams: Understanding Biology, Psychology and Culture*, vol. 1, 3-26, Santa Barbara: ABCCLIOLLC, 2019.

LEU-SEMENESCU, S., G. UGUCCIONI, J. GOLMARD, V. CZERNECKI, J. YELNIK, B. DUBOIS, B. FORGEOT D'ARC, D. GRABLI, R. LEVY e I. ARNULF, «Can we still dream when the mind is blank? Sleep and Dream Mentations in Auto-Activation Deficit», en *Brain*, 136, n.º 10 (1 de octubre de 2013): 3076-3084, doi.org/10.1093/brain/awt229.

LEWIS, C. S., *George MacDonald: An Anthology 365 Readings*, San Francisco, HarperSanFranscisco, 1973. Versión castellana: *George MacDonald,* Madrid, Rialp, 2017.

LIBBY, W., «The Scientific Imagination», en *Scientific Monthly*, 15, n.º 263 (1922): 269, https://archive.org/details/jstor-6552/page/n7.

LIBERMAN, J. I., *Light: Medicine of the Future*, Santa Fe, Bear & Company, 1991.

LINDBERGH, A. M., *Gift from the Sea*, Nueva York, Random House, 1978 (originalmente publicado en 1955). Versión castellana: *Regalo del mar,* Barcelona, Circe, 1995.

LINNETT, P., y Ch. ROE, «Spontaneous cases of psi within accounts submitted to the Alister Hardy Religious Experience Research Centre», en un trabajo presentado en la 20.ª conferencia anual de la British Psychological Society (BPS) Transpersonal Section, del 16 al 18 de septiembre de 2016.

LITTLEHALES, N., *Sleep: The Myth of 8 Hours, the Power of Naps... and the New Plan to Recharge Your Body and Mind*, Reino Unido, Penguin Random House, 2016.

MACDONALD, G., «Truth», en *George MacDonald: An Anthology 365 Readings*, n.º 187, San Francisco: HarperSanFranscisco, 1973.

—, *The Golden Key and Other Fantasy Stories*, Grand Rapids: Eerdmans, 1980 (originalmente publicado en 1867). Versión castellana: *La llave de oro,* Barcelona, Obelisco, 2001.

MACLEAN, K. A., J. S. LEOUTSAKOS, M. W. JOHNSON y R. R. GRIFFITHS, «Factor Analysis of the Mystical Experience Questionnaire: A Study of Experiences Occasioned by the Hallucinogen», en *Journal for the Scientific Study of Religion*, 51, n.º 4 (diciembre de2012): 721-737, doi: 10.1111/j.1468-5906.2012.01685.x.

Maier, M., «Emblem XLII», en *Michael Maier's Atalanta Fugiens: Sources of an Alchemical Book of Emblems*, York Beach, Nicolas-Hays, 2002. Versión castellana: *La fuga de Atalanta*, Vilaür, Atalanta, 2016.

Malinowski, J. E., y Ch. Edwards, «Evidence of Insight from Dreamwork», en *Dreams: Biology, Psychology and Culture*, vol. 2, 469-478, Santa Barbara, ABC-CLIO LLC, 2019.

Markowitsch, H. J. y A. Staniloiu, «Amygdala in Action: Relaying Biological and Social Significance to Autobiographical Memory», en *Neuropsychologia*, 49, n.º 4 (marzo de 2011): 718-733, doi: 10.1016/j.neurophsychologia.2010.10.007

—, y H. Welzer, *The Development of Autobiographical Memory*, Nueva York, Psychology Press, 2010.

McLean, A., *The Alchemical Mandala: A Survey of the Mandala in the Western Esoteric Traditions*, Grand Rapids, Phanes, 2002.

McGilchrist, I., *The Master and His Emissary: The Divided Brain and the Making of the Western World*, New Haven: Yale UP, 2009.

Meaidi, A., P. Jennum, M. Ptito y R. Kupers, «The Sensory Construction of Dreams and Nightmare Frequency in Congenitally Blind and Late Blind Individuals», en *Sleep Medicine*, 15 (2014): 585-595, doi.org/10.1016/S0926-6410(02)00199-4.

Naked Science, «Science and Technology Documentary Series», última actualización el 31 de julio de 2019, https://www.youtube.com/playlist?list=PLpWCFDSTg8dvapwbRd7A-VbpNAkFXhqtyo.

NASA, «Dark Energy, Dark Matter», consultado el 2 de agosto de 2019, https://science.nasa.gov/astrophysics/focus-areas/what-is-dark-energy.

National Health Service (NHS), «How to get to Sleep: Sleep and Tiredness», última actualización el 22 de julio de 2019, https://www.nhs.uk/live-well/sleep-and-tiredness/howto-get-to-sleep/.

Neihardt, J. G., *Black Elk Speaks: The Complete Edition*, Nebraska, The Regents Board of the University of Nebraska, 2014 (originalmente publicado en 1932).

Nes, S., *The Mystical Language of Icons*, Canterbury (Reino Unido), Canterbury Press, 2004.
Nicholls, Christine Judith. «"Dreamtime" and "The Dreaming": Who dreamed up these terms?», en The Conversation, Reino Unido, 28 de enero de 2014, http://theconversation.com/dreamtime-and-the-dreaming-who-dreamed-up-these-terms-20835.
Nieminen, J., O. Gosseries, M. Massimini et al., «Consciousness and Cortical Responsiveness: A Within-State Study During Non-Rapid Eye Movement Sleep», en *Scientific Reports*, 6, n.º 30932 (agosto de 2016): 1-10, doi:10.1038/srep30932.
Nir, Y., M. Massimini, M. Boly, G. Tononi, E. Saad, A. D. Sheldon, F. Siclari y B. R. Postle, «Sleep and Consciousness», en *Neuroimaging of Consciousness*, 133-182, editado por A. E. Cavanna, A. Nani, H. Blumenfeld y S. Laureys, © Springer-Verlag Berlin Heidelberg, 2013, doi: 10.1007/978-3-642-37580-4_9.
Norbu, C. N., *Dream Yoga and the Practice of Natural Light*, Ithaca (Nueva York), Snow Lion Publications, 1992.
North Carolina State University, College of Agriculture and Life Sciences, Department of Horticulture Science (webpage), «Tree Facts», consultada el 8 de agosto de 2019, https://projects.ncsu.edu/project/treesofstrength/treefact.htm.
Novalis, *Henry Von Ofterdingen: A Romance*, Mineola (Nueva York), Dover Thrift Editions, 2015 (originalmente publicado en 1842). Versión castellana: *Himnos a la noche. Enrique de Ofterdingen*, Madrid, Cátedra, 2004.
Organisation for Economic Cooperation and Development (OECD), «Children & Young People's Mental Health in the Digital Age: Shaping the Future» (2018): 1-16, https://www.oecd.org/els/health-systems/Children-and-Young-People-Mental-Health-in-the-Digital-Age.pdf.
Ofcom, «Adults: Media Use and Attitudes Report, 2019» (30 de mayo de 2019): 1-22, https://www.ofcom.org.uk/__data/assets/pdf_file/0021/149124/adults-mediause-and-attitudes-report.pdf.
Ott, M., V. Gogvadze, S. Orrenius y B. Zhivotovsky, «Mitochondria, Oxidative Stress and Cell Death», en *Apoptosis*, 12,

© Springer Science + Business Media, LLC (2007): 913-922, doi: 10.1007/s10495-007-0756-2.

OTTO, R., *The Idea of the Holy*, 2.ª ed., trad. por John W. Harvey, Londres, Oxford UP, 1950. Versión castellana: *Lo sagrado*, Madrid, Claridad, 2009.

OWCZARSKI, W., «Therapeutic Dreams in Auschwitz», en *Jednak Ksiazki. Gdańske Czasopismo Humanistyczne*, 6 (2016), 85-92, http://cejsh.icm.edu.pl/cejsh/element/bwmeta1.element.deskli-ght-623ef4d8-ca2d-4ec9-9295-8c5f5ebac108.

PAGEL, J. F., «The Synchronous Electrophysiology of Conscious States», en *Dreaming*, 22, n.º 3 (2012): 173-19, doi: 10.1037/a0029659.

PALL, M. L., «5G: Great risk for EU, U.S. and International Health! Compelling Evidence for Eight Distinct Types of Great Harm Caused by Electromagnetic Field (EMF) Exposures and the Mechanism that Causes Them» (mayo de 2018), https://www.emfdata.org/en/documentations/detail&id=243.

PARMEGGIANI, P. L., «Interaction Between Sleep and Thermoreg-ulation: An Aspect of the Control of Behavioral States», en *Sleep*, 10, n.º 5 (1987): 426-435.

PASCAL, B., *Blaise Pascal's Penseés: Thoughts on God, Religion and Wagers*, traducido por William F. Trotter, Greenwood (Wisconsin), Suzeteo Enterprises (originalmente publicado en 1660). Versión castellana: *Pensamientos*, Barcelona, RBA, 2002.

PASCOE, J., «Drawing Dreams: The Transformation Experience of Expressing Dream Imagery as Art», tesis de maestría, 2016, http://www.driccpe.org.uk/?portfolio-view=drawing-dreams-the-transformational-experience-of-expressing-dream-imagery-as-art.

PEAT, D., *Blackfoot Physics: A Journey into the Native American Universe*, Londres, Fourth Estate Limited, 1996.

PLATO, *Phaedo*, en *The Collected Dialogues, Including the Letters*, 6.ª ed., editado por Edith Hamilton y Huntington Cairns, Bollingen Series LXXI, Princeton, Princeton UP, 1971. Versión castellana: *Apología de Sócrates, Critón, Fedón*, Madrid, Akal, 2005.

POLKINGHORNE, J., *Quantum Theory: A Very Short Introduction*, Londres, Oxford UP, 2002.

POWELL, A., *Conversations with the Soul: A Psychiatrist Reflects: Essays on Life, Death and Beyond*, Londres, Muswell Hill Press, 2018.

—, *The Ways of the Soul: A Psychiatrist Reflects: Essays on Life, Death and Beyond*, Londres, Muswell Hill Press, 2017.

POWELL, M., «Metaphoric Presence in Dreams», en *Dreams: Understanding Biology, Psychology, and Culture*, vol. 2, 628-633, editado por Robert J. Hoss y Robert P. Gongloff, Santa Barbara, ABC-CLIO-LLC, 2019.

POWERS, R., *The Overstory*, Londres, Penguin Random House, 2018. Versión castellana: *El clamor de los bosques,* Madrid, Alianza, 2019.

PUHLE, A., *Light Changes: Experiences in the Presence of Transforming Light*, Guildford (Reino Unido), White Crow Books, 2013.

PUTTONEN, E., Ch. BRIESE, G. MANDLBURGER, M. WIESER, M. PFENNIGBAUER, A. ZLINSZKY y N. PFEIFER, «Quantification of Overnight Movement of Birch (Betula pendula) Branches and Foliage with Short Interval Terrestrial Laser Scanning», en *Frontiers in Plant Science*, 7, Artículo 222 (29 de febrero de 2016), doi: 10.3389/fpls.2016.00222.

RADIN, D., *The Conscious Universe: The Truth of Psychic Phenomena*, San Francisco, HarperOne Publishers, 1997.

RILKE, R. M., *Die Gedichte*, Fráncfort del Meno y Leipzig, Insel Verlag, 2006.

ROUSSEAU, A., y G. BELLEVILLE, «The Mechanisms of Action Underlying the Efficacy of Psychological Nightmare Treatments: A Systematic Review and Thematic Analysis of Discussed Hypotheses», en *Sleep Medicine Review*, 39 (2018): 122-133, doi: 10.1016/j.smrv.2017.08.004.

Royal Society for Public Health (website), «Waking Up to the Health Benefits of Sleep» (marzo de 2016): 1-30, https://www.rsph.org.uk/uploads/assets/uploaded/a565b58a-67d1-4491-ab9112ca414f7ee4.pdf.

SAUNDERS, D. T., Ch. A. ROE, G. SMITH y H. CLEGG, «Lucid Dreaming Incidence: A Quality Effects Meta-Analysis of 50 years of Research», en *Consciousness and Cognition*, 43 (2016): 197-215, http://dx.doi.org/10.1016/j.concog.2016.06.002.

SCHADLICH, M., y D. ERLACHER, «Lucid Music — A Pilot Study Exploring Experiences and Potentials of Music-Making in Lucid Dreams», en *Dreaming*, 28, n.º 3 (septiembre de 2018): 276-286, doi: 10.1037/drm0000073.

—, D. ERLACHER y M. SCHREDL, «Improvement of Darts Performance Following Lucid Dream Practice Depends on the Number of Distractions While Rehearsing within the Dream — A Sleep Laboratory Pilot Study», en *Journal of Sports Sciences*, 35, n.º 23 (2017): 2365-2372, doi: 10.1080/02640414.2016.1267387.

—, y D. ERLACHER, «Applications of Lucid Dreams: An Online Study», en *International Journal of Dream Research*, 5, n.º 2 (2012): 134-138.

SCHOLEM, G., *Kabbalah*, NuevaYork, Meridian, 1978. Versión castellana: *La Cábala y su simbolismo,* Madrid, Siglo XXI, 1985.

SCHREDL, M., «Typical Dream Themes», en *Dreams: Understanding Biology, Psychology and Culture*, vol. 1, 180-188, editado por Katja Valli y Robert J. Hoss, Santa Barbara, ABC-CLIO LLC, 2019.

SCHWEBER, S. S., *Einstein, Oppenheimer and the Meaning of Genius*, Cambridge (Massachusetts), Harvard UP, 2008.

SELIGMAN, K. (trad.), *The Mirror of Magic*, Nueva York, 1948, en *The Penguin Dictionary of Symbols*, editado por Jean Chevalier y Alain Gheerbrant, traducido por John Buchanan-Brown, Londres, Penguin Books, 1996. Versión castellana: *Diccionario de los símbolos,* Herder, 2000.

SHAINBERG, C., *Kabbalah and the Power of Dreaming: Awakening the Visionary Life*. Rochester (Nueva York), Inner Traditions, 2005.

SHELDRAKE, R., *Science and Spiritual Practices: Reconnecting through Direct Experience*, Londres, Coronet, 2017.

SHOHET, R., *Dream Sharing: A Guide to Understanding Dreams by Sharing and Discussion*, Northamptonshire (Reino Unido), Crucible, 1985.

SHOKRI-KOJORI, E., G. WANG, C. E. WIERS, S. B. DEMIRAL, M. GUO, S. WON KIM, E. LINDGREN et al, «β-Amyloid Accumu-

lation in the Human Brain after One Night of Sleep Deprivation», en *Proceedings of the National Academy of Sciences*, USA, PNAS, 115, n.º 17 (24 de abril de 2019): 4483-4488, doi: 10.1073/pnas.1721694115.
Sleep Council, «The Great British Bedtime Report», en Chapel Hill, Skipton, Reino Unido (2017): 2-7, https://sleepcouncil.org.uk/wp-content/uploads/2018/04/The-Great-British-Bedtime-Report-2017.pdf.
SLIWINSKI, S., *Dreaming in Dark Times: Six Exercises in Political Thought*. Minneapolis, University of Minnesota Press, 2017.
SOMERS, B., con I. G. BROWN, *The Journey in Depth: A Transpersonal Perspective*, editado por Hazel Marshall, Leicestershire, Archive Publishing, 2002.
SPARROW, S. G., «Imagery Change Analysis: Working with Imagery from the Standpoint of Co-Creative Dream Theory» (2013), http://www.driccpe.org.uk/?portfolio-view=imagery-change-analysis-working-with-imagery-from-thestandpoint-of-co-creative-dream-theory-scott-sparrow.
—, *Lucid Dreaming: Dawning of the Clear Light*, Virginia Beach, Edgar Cayce Foundation, 1976.
STAFFORD, W., «Glances», en *Travelling Through the Dark*, Nueva York, Harper & Row Publishing, 1962.
STEELE, R., y D. WALEY SINGER, «The Emerald Table», en *Proceedings of the Royal Society of Medicine*, 21, n.º 3 (enero de 1928): 485-501, https://www.ncbi.nlm.nih.gov/pmc/articles/PMC2101974/?page=1.
STICKGOLD, R., J. A. HOBSON y R. FOSSE, «Sleep, Learning, and Dreams: Off-Line Memory Reprocessing», en *Science*, 294, n.º 5544 (2 de noviembre de 2001): 1052-1057, doi: 10.1126/science.1063530.
STIRLING, J. M., Y. ISHIKAWA, T. HATA e I. KARACAN, «Cerebral Blood Flow in Normal and Abnormal Sleep and Dreaming», en *Brain and Cognition*, 6, n.º 3 (julio de 1987): 266-294, doi.org/10.1016/0278-2626(87)90127-8.
STERPENICH, V., L. PEROGAMVROS, G. TONONI y S. SCHWARTZ, «Experiencing Fear in Dreams Relates to Brain Response to Aversive Stimuli During Wakefulness», en *Sleep Medicine*, 40,

Supplement 1 (diciembre de 2017): E259-pE259, doi.org/10.1016/j.sleep.2017.11.759.
—, «Fear in Dreams and in Wakefulness: Evidence for Day/Night Affective Homeostasis», en Cold Spring Harbor Laboratory, bioRxiv preprint, publicación online del 29 de enero de 2019, doi: http://dx.doi.org/10.1101/534099.
STUMBRYS, T., D. ERLACHER y P. MALINOWSKI, «Meta-Awareness During Day and Night: The Relationship Between Mindfulness and Lucid Dreaming», en *Imagination, Cognition and Personality: Consciousness in Theory, Research, and Clinical Practice*, 34, n.º 4 (2015): 415, doi: 10.1177/0276236615572594.
—, D. ERLACHER y M. SCHREDL, «Effectiveness of Motor Practice in Lucid Dreams: A Comparison with Physical and Mental Practice», en *Journal of Sports Sciences*, 34, n.º 1 (abril de 2015): 27-34, https://doi.org/10.1080/02640414.2015.1030342.
—, D. ERLACHER, M. SCHADLICH y M. SCHREDL, «Induction of Lucid Dreams: A Systematic Review of Evidence», en *Consciousness and Cognition*, 21 (2012): 1456-1475, http://dx.doi.org/10.1016/j.concog.2012.07.003.
STURLASON, S., *Heimskringla; or, the Lives of the Norse Kings*, editado y anotado por Erling Monsen y traducido al ingles con la colaboración de A. H. Smith, Nueva York, Dover Publications, 1990.
The Gospel of Thomas, presentado por Hug McGregor Ross, Londres, Watkins Publishing, 2002. Versión castellana: *El evangelio gnóstico de Tomás*, Madrid, Creación, 2013.
The Holy Bible, American King James Version (AKJV) [Versión americana de la Biblia del Rey Jacobo], editada por Michael Peter (Stone) Engelbrite, dominio público, 1999.
The Holy Bible, English Standard Version (ESVR Text Edition) [Versión Estándar en inglés], 2016, copyright © 2001 by Crossway Bibles, a publishing ministry of Good News Publishers.
The Holy Bible, New International Version (NIV R) [Nueva versión internacional] © 1973, 1978, 1984, 2011 by Biblica Inc.™
The Jerusalem Bible: Reader's Edition, editada por Alexander Jones, Garden City (Nueva York), Doubleday & Company, 1968.

THUNBERG, G., *No One is Too Small to Make a Difference*, Londres, Penguin Random House UK, 2018-2019. Versión castellana: *La historia de Greta: ¡no eres demasiado pequeño para hacer cosas grandes!*, Barcelona, Planeta, 2019.

—, «I'm striking from school to protest inaction on climate change — you should too», en *The Guardian*, 26 de noviembre de 2018, https://www.theguardiancom/commentisfree/2018/nov/26/im-striking-from-school-for-climate-changetoo-save-the-world-australians-students-should-too.

THURSTON, M., *Willing to Change: The Journey of Personal Transformation*, Rancho Mirage, We Publish Books, 2005.

—, *Dreams: Tonight's Answers for Tomorrow's Questions: Edgar Cayce's Wisdom for the New Age*, editado por Charles Thomas Cayce, Nueva York, St. Martin's Press, 1996.

TZU, L., *The Way of Life*, trad. R. B. Blakney, Nueva York, Signet Classics, 2007.

ULLMAN, M., S. KRIPPNER y A. VAUGHAN, *Dream Telepathy: Experiments in Nocturnal Extrasensory Perception*, Charlottesville, Hampton Roads Publishing Company, 2001.

Universidad de Oxford, «Our World in Data», en Global Change Data Lab (sitio web) (publicado en mayo de 2018 y actualizado en abril de 2019), https://ourworldindata.org/global-mental-health.

VAN BRONKHORST, J., *Dreams at the Threshold*, Woodbury, Llewellyn Publications, 2015.

VAN DE CASTLE, R. L., *Our Dreaming Mind*, Nueva York y Toronto, Ballantine Books, 1994.

VAN DER HELM, E., y M. P. WALKER, «Overnight Therapy? The Role of Sleep in Emotional Brain Processing», en *Psychological Bulletin*, 135, n.º 5 (septiembre de 2009): 731-748, doi: 10.1037/a0016570.

VAN DUSEN, W., *Swedenborg's Journal of Dreams: 1743-1744*, trad. J. J. G. Wilkinson, editado por G. E. Klemming, Nueva York, Swedenborg Foundation, 1996 (originalmente publicado en 1860).

VIERECK, G. S., «What Life Means to Einstein», en *The Saturday Evening Post*, 26 de octubre de 1929, http://www.saturdayeveningpost.com/wp-content/uploads/satevepost/what_life_means_to_einstein.pdf.

VILLASENOR, D., *Tapestries in Sand: The Spirit of Indian Sand Painting*, Happy Camp, Naturegraph Company Publishers, 1966.

VIRTANEN, M., K. HEIKKILA, M. JOKELA, A. E. FERRIE, G. D. BATTY, J. VAHTERA y M. KIVIMAKI, «Long Working Hours and Coronary Heart Disease: A Systematic Review and Meta-Analysis», en *American Journal of Epidemiology*, 176, n.°7 (2012): 586-596, doi: 10.1093/aje/kws139.

VON BINGEN, Hildegard, *Mystical Visions*, traducido de los *Scivias* por Bruce Hozeski y con introducción de Matthew Fox, Santa Fe, Bear & Company, 1995.

VON GOETHE, J. W., *Faust*, trad. Albert G. Latham, Nueva York, E. P. Dutton & Co., 1908. Versión castellana: *Fausto,* Madrid, Cátedra, 2005.

—, *Theory of Colours*, trad. Charles Lock Eastlake, Mineola, Dover Publications, 2016 (originalmente publicado en 1810). Versión castellana: *Teoría de los colores: las láminas comentadas,* Barcelona, Gustavo Gili, 2019.

VOSS, U., R. HOLZMANN, I. TUIN y J. A. HOBSON, «Lucid Dreaming: A State of Consciousness with Features of Both Waking and Non-Lucid Dreaming», en *Sleep*, 32, n.° 9 (1 de septiembre de 2009): 1191-1200, https://www.ncbi.nlm.nih.gov/pmc/articles/PMC2737577/.

—, y A. HOBSON, «What is the State-of-the-Art on Lucid Dreaming? —Recent Advances and Further Questions», en *Open MIND*, editado por Thomas Metzinger y J. M. Windt, Fráncfort del Meno, MIND Group, 2015: 1-20, doi: 10.15502/9783958570306.

WAGGONER, R., *Lucid Dreaming: Gateway to the Inner Self*, Needham, Moment Point Press, 2009.

WALKER, M., *Why We Sleep: The New Science of Sleep and Dreams*, Reino Unido, Penguin Random House, 2018. Versión castellana: *Por qué dormimos: la nueva ciencia del sueño*, Madrid, Capitán Swing, 2019.

WALLACE-WELLS, D., *The Uninhabitable Earth: A Story of the Future*, Londres, Penguin Random House, 2019. Versión castellana: *El planeta inhóspito: la vida después del calentamiento,* Barcelona, Debate, 2019.

WAMSLEY, E. J., «Dreaming and Offline Memory Consolidation», en *Current Neurology and Neuroscience Reports*, 14, n.º 3 (marzo de 2014): 433, doi.org/10.1007/s11910-013-0433-5.

WATSON, A. J., y J. E. LOVELOCK, «Biological Homeostasis of the Global Environment: The Parable of Daisyworld», en *Tellus*, 35B (septiembre de 1983): 284-289, doi.org/10.1111 /j.1600-0889.1983.tb00031.x.

WELWOOD, J., *Toward a Psychology of Awakening: Buddhism, Psychotherapy and the Path of Personal and Spiritual Transformation*, Boston, Shambahla Publications, 2002.

WITTGENSTEIN, L., *Remarks on Colour*, editado por G. E. M. Anscombe, trad. Linda L. McAlister y Margarete Schattle, Oxford, Blackwell Publishers, 1977. Versión castellana: *Observaciones sobre los colores,* Barcelona, Paidós, 1994.

—, *Philosophical Investigations*, 2.ª ed., trad. G. E. Anscombe, Oxford, Basil Blackwell, 1986. Versión castellana: *Investigaciones filosóficas,* Barcelona, Crítica, 1998.

WOHLLEBEN, P., *The Hidden Life of Trees*, Vancouver, Greystone Books, 2015. Versión castellana: *La vida secreta de los árboles,* Barcelona, Obelisco, 2018.

World Health Organization, World Health Assembly. «Global Burden of Mental Disorders and the Need for a Comprehensive, Coordinated Response from Health and Social Sectors at the Country Level: Report by the Secretariat», en n.º 65 (20 de enero de 2012), https://apps.who.int/iris/handle/10665/78898.

—, *Investing in Mental Health*, Ginebra, World Health Organization, 2003, https://www.who.int/mental_health/media/investing_mnh.pdf.

XIE, L., H. KANG, Q. XU, M. J. CHEN, Y. LIAO, M. THIYAGARA et al., «Sleep Drives Metabolite Clearance from the Adult Brain», en *Science*, 342, n.º 6156 (18 de octubre de 2013): 373-377, doi: 10.1126/science.1241224.

YEATS, W. B., «Two Trees», en *William Butler Yeats: Selected Poems and Three Plays*, 3.ª ed., editado por M. L. Rosenthal, Nueva York, Scribner Paperback Poetry Edition, Simon & Schuster, 1996.

YOUNG, S., «"Everything Is What It Is and Not Something Else": A Response to Professor Gion Condrau», en Ernesto Spinelli, Alessandra Lemma and Simon Du Plock (eds.), *Journal of the Society for Existential Analysis* (julio de 1993): 13-18.

ZADRA, A., «Chronic Nightmares», en *Dreams: Understanding Biology, Psychology, and Culture*, vol. 2, 480-486, editado por Robert J. Hoss y Robert P. Gongloff, Santa Barbara, ABC-CLIO LLC, 2019.

ZAJONC, A., *Catching the Light: The Entwined History of Light and Mind*, Nueva York y Oxford, Oxford UP, 1993. Versión castellana: *Atrapar la luz: la historia entrelazada de la luz y la mente*, Vilaür, Atalanta, 2015.

ZIEMER, M. [Melinda Powell], «Lucid Surrender and the Alchemical Coniunctio», en *Lucid Dreaming: New Perspectives on Consciousness in Sleep*, vol. 1, 145-146, editado por Ryan Hurd y Kelly Bulkeley, Santa Barbara, Praeger, 2014.

ZLINSZKY, A., y N. PFEIFER, «Quantification of Overnight Movement of Birch (Betula pendula) Branches and Foliage with Short Interval Terrestrial Laser Scanning», en *Frontiers in Plant Science*, 7, Artículo 222 (29 de febrero de 2016), doi: 10.3389/fpls.2016.00222.

Créditos de las imágenes

Agradezco el permiso para la reproducción de las siguientes imágenes:

Página 8: Lago Jordan, Carolina del Norte © Chris Nassef

Página12: Vía Láctea desde la intersección de Monte Carmelo, Utah © Chris Nassef

Página 16: Gran Cañón, borde norte, Arizona © Chris Nassef

Página 20: Granite Falls, Washington © Chris Nassef

Página 28: Costa nacional Cañaveral, Florida © Chris Nassef

Página 42: Río Pamlico, Carolina del Norte © Chris Nassef

Página 62: Lago Sunset Jordan, Carolina del Norte © Chris Nassef

Página 88: Parque nacional Zion, Utah © Chris Nassef

Página 102: Chapel Hill, Carolina del Norte © Chris Nassef

Página 118: Salida de la Tierra © NASA Earthrise AS08-14-2383 Apollo 8 1968-12-24

Página 136: Parque museo Ann and Jim Goodnight, Raleigh, Carolina del Norte © Chris Nassef

Página 158: «La Trinidad», Andréi Rubliov. Representación fiel de una obra de arte actualmente en dominio público.

Página 176: Basílica de Bom Jesus, Goa, India © Chris Nassef

Página 196: Lago Jordan, Carolina del Norte © Chris Nassef

Página 218: Playa Wrightsville, Carolina del Norte © Chris Nassef

Índice analítico